KB082291

"

제2 인생의 멋진 삶을 위하여

퇴직했지만 놀지 않았습니다

66

제2 인생의 멋진 삶을 위하여

퇴직했지만 놀지 않았습니다

유영숙 지음

차례

프롤로그
퇴직은 Ending이 아닌 Anding

지난 8월 말 호적 나이 만 육십이 세에 퇴직하였다. 실제 나이는 한 살 더 많은데 호적에 일 년 늦게 올리는 바람에 실제보다 일 년 늦게 퇴직하였다. 먼저 퇴직한 선배님 말씀처럼 시원섭섭하다. 사실 요즘 교장도 권리보다는 책임이 많은 직업이라 힘들기에 시원하다는 쪽이 더 크다.

강릉에서 여고를 졸업하고 서울교대에 입학하였다. 교사로 31년 6개월, 교감으로 5년 6개월 그리고 마지막 교장으로 5년 6개월을 보내고 퇴직하였다. 42년 6개월이란 숫자가 오늘 zero가 되는 날이다.

교사로 지내는 동안 많은 제자가 생겼다. 그래서 보람도 느끼지만, 지나고 보니 후회되는 일도 많다. 아이들을 좋아하기에 매년 최선을 다하려고 노력했지만, 돌이켜보면 그때 좀 더 잘해 줄 걸 하는 후회도 든다.

42년 6개월 동안 많은 제자도 생겼지만, 많은 교직원을 만났다. 한 분 한 분 모두 소중한 분이다. 그분들이 도와주고 함께 해 주셔서 무사히 퇴직할 수 있었다고 생각한다. 그리고 학부모님 한 분 한 분도 너무 감사하다. 늘 응원해주시고 도와주셨기에 학교생활을 잘 마무리할 수 있었다. 퇴직하며 일일이 찾아뵙지 못해 너무 죄송하였는데 글을 빌어 모든 분께 감사의 인사를 드린다.

"그동안 감사했습니다. 그 사랑 오래 간직하겠습니다."

승진은 정말 어려운 여정이었지만, 참고 견딘 것은 초등학교 교사였던 친정아버지가 교감의 꿈을 이루지 못하고 돌아가셨기 때문에 아버지의 꿈을 대신 이뤄 드려야겠다는 생각 때문이었다.
2022년 8월 말에 교장으로 정년퇴직을 하게 되었다. 모든 게 감사하다.
이제 자연인이다. 새털처럼 가벼운 마음으로 제2 인생을 준비해야겠다. 꽃길만 걷고 싶지만, 자갈밭도 있고 풍랑도 만나겠지. 그러나 꿋꿋하게 살아낼 거다. 내 앞에 어떤 새로운 인생이 기다리고 있을지 제2 인생이 기대된다.

2022년 6월 2일에 글쓰기 플랫폼 브런치 스토리 작가에 합격하였다. 정말 한 번의 도전으로 이루어냈다. 2022년 7월 29일에 문예지 신인 문학상 시부문에 당선되어 등단 시인이 되었다.

등단 소감으로

42년 6개월의 교직 생활을 마무리하고 다시 시작할 제2 인생을 꿈꾸게 되었습니다. 퇴직은 Ending이 아닌 Anding임을 믿기에 새로 시작하는 인생은 글 쓰는 사람이 되고 싶었습니다. 특히 시인이나 동화작가가 되고 싶었는데 시인의 꿈을 먼저 이루었습니다. 그런 저의 꿈을 문학 고을이 이루게 해주어 너무 감사합니다.

천상병 시집 '아름다운 이 세상 소풍 끝내는 날'을 자주 읽는데 천상병 시인의 시는 참 편안합니다. 이해인 수녀님의 시도 좋아합니다. 저도 이렇게 감동은 있지만 편안하고 울림이 있는 시를 쓰고 싶습니다. 가족이 있어 든든하고, 퇴직하며 할 일이 있어 행복한 요즈음입니다.

아직 많이 부족하지만, 세상을 보는 시야를 넓히고 아름다운 시, 힘이 되는 시를 쓰도록 노력하겠습니다. 제가 시인으로 등단할 수 있도록 응원해준 가족들과 심사위원님들께도 감사드립니다.

퇴직하고 브런치 스토리에 에세이를 쓰고 시를 올리며 지루한 줄 몰랐다. 가끔 이웃 초등학교에 시간 강사로 가서 학생들도 만났다. 주말에는 쌍둥이 손자를 돌보고 주간보호센터에 다니시는 친정엄마도 보살피며 함께 지내고 있다. 퇴직하고 그냥 놀지 않았다. 일상생활의 모든 것이 글감이 되어 글로 태어났다.

퇴직 즈음부터 6개월(2022년 8월부터 2023년 1월까지)동안 쓴 글을 이제 책으로 펼쳐보려고 한다. 브런치 스토리 매거진 '호적 나이 만 62세 퇴직일지'에 담았던 이야기 즉 나의 퇴직 일지다. 퇴직 일지에 손자와 친정엄마, 요리 도전 이야기도 한편씩 실었다. 손자와 친정엄마, 요리도 일상의 한 부분이라 떼어 놓을 수 없기에 실어보았다. 많이 부족하지만, 나의 첫 번째 책이기에 애정이 많이 간다. 책이 세상에 나오면 또 다른 자식 한 명을 출산한 것처럼 행복할 것 같다. 내 글을 읽는 분들도 나처럼 행복했으면 좋겠다.

퇴직은 Ending이 아닌 Anding임을 믿기에
앞으로 나의 도전은 계속되리라.

part 1

첫째 달 퇴직일지

커피차는
연예인만 받는 줄 아셨지요

아침부터 비가 주룩주룩 내린다. 다른 때는 일기예보도 안 맞더니 오늘은 중부지방에 집중호우가 내린다는 일기예보가 딱 맞았다. 6월 29일에 코로나 이후 처음 대면으로 하는 학부모 공개 수업이 있었다. 거의 3년 만에 학부모님께서 학교를 방문하는 큰 행사였다.

학부모님께서 오랜만에 학교를 방문하여 자녀가 수업하는 모습을 볼 수 있기에 많이 참석해주셨다. 특히 1, 2학년은 입학하고 처음으로 하는 공개 수업이라 대부분의 학부모님께서 참석하셨다. 특히 우리 학교는 학급당 학생 수가 평균 32명이 넘는다. 과대 과밀 학교다. 평소에도 학생 책상과 사물함으로 교실에 빈 공간이 별로 없다. 학부모님께서 많이 참관하러 오셔서 교실 뒤쪽은 물론 옆쪽까지 만원이다.

선생님들께서도 3년 만에 대면으로 하는 공개 수업이라 준비를 많이 하셨다. 준비하느라고 힘이 들었을 거다. 8월 말이 정년퇴직이라 퇴직하기 전에 마지막으로 수고한 교직원을 위해 이벤트를 고민하다가 친목회장님께서 커피차 이야기를 하셨다. 요즘 추세에도 맞아 좋은 생각인 것 같아서 알아보라고 했다.

공개 수업한 날 오후에 고생하신 선생님들을 위해 커피차를 부르려고 계획했는데 그날도 비 예보가 있어 오늘로 연기하였다. 장마철이라 연기한 7월에는 비가 오지 않기를 기도했다.

사실 7월 중순인 오늘도 비 예보가 있었지만, 다음 주가 방학이라 더 이상 연기할 날짜가 없어서 그냥 커피차를 부르기로 하였다. 며칠 전부터 걱정이 많았다. 비 오는 날 커피차를 어디에 둘지 의논을 하였다. 커피차가 1톤 트럭이라 중앙현관에 올라올 수 있다는 말에 그럴 수 있으면 좋겠다고 생각했다.

커피차는 짜 맞추기라도 한 듯 중앙현관에 딱 맞게 올라올 수 있었다. 너무 다행이었다. 학생들이 모두 하교한 후 오후 2시 30분부터 커피차를 오픈했다. 전 교직원이 80명 정도 되어 한 울타리에 있는 단설유치원에도 알려 이용하도록 하였다. 커피 100잔으로 계약하였기 때문에 가능했다. 차 종류는 모두 25종류가 있어서 커피를 못 드시는 분은 다른 차를 주문할 수 있었다.

나는 2시 이후에는 커피를 마시지 못해서 녹차 라테를 주문했다. 촌스럽게 2시 이후에 커피를 마시면 그날 밤에 잠을 설치기 때문이다. 혹시라도 못 드시는 분이 없도록 신경을 썼다. 돌봄교실 선생님, 학교 보안관님, 급식실 조리원님들에게 꼭 말씀드려 참여하도록 일렀다.

선생님들이 커피차는 처음이라 너무 좋아하셨다. 긴 줄을 서면서도 행복해하셨다. 커피를 들고 같은 학년끼리 우르르 교장실로 와서 손 하트를 날리기도 하였다. 조금 부끄러웠지만 컵 홀더에 캐리 커처로 내 사진을 넣었다. 캐리커처는 20대의 내 자화상이라고 해야 할 것 같다. 가족 카톡방에 올렸더니 아들이 너무 과하게 포샵한 거 아니냐고 했다. 맞다. 좀 과하게 했다.

누군 줄 알지 못하게 하여 궁금증을 주기 위해 그렇게 했는데 모두 바로 맞추었다. 아직 젊었을 때 모습(이미지)이 남아 있나 보다. 재미를 조금 주기 위해 그렇게 했는데 모두 즐거워해서 다행이었다. 그날 사용한 컵 홀더 2개는 기념으로 보관하고 있다. 아이디어를 제공해 준 친목회장님께도 감사의 인사를 보냈다. 정말 퇴직하기 전에 이런 이벤트를 할 수 있어서 좋았다.

커피차는 연예인만 받는 줄 알았다. 보통 연예인이 연예인에게, 팬클럽이 연예인에게 제공하는 경우가 많다고 들었다. 또 기획사가 촬영장 스텝이나 연예인에게 수고에 대한 감사 표시로 대접하는 경우가 있다고 한다. 우리는 연예인은 아니지만 요즘 젊은 세대의 트렌드를 맞추는 것도 소통하며 젊게 살아가는 방법이라고 생각한다. 늘 방송에서만 보았던 커피차가 눈앞에 있으니 우리가 연예인이 된 것처럼 가슴이 떨렸다.

교직원이 모두 좋아하니 나도 기분이 좋았다. 비 오는 날이라 커피차가 더 분위기 있게 느껴졌다. 주문한 녹차 라테도 참 맛있었다. 커피도 맛있었다고 한다. 아마 기분이 좋아서 더 맛있게 느껴지지 않았을까 생각된다.

이제 퇴직일이 가까워졌다. 이런 이벤트 하나하나가 모두 아름다운 추억이 될 것 같다. 교감 선생님께서 늘 하시는 말씀이

"교장 선생님은 인복이 참 많으세요."

라고 하시며 학교에 좋은 분이 발령 나서 오시고 강사님들도 필요할 때 채용이 잘 된다고 하신다. 나 때문인 것은 아니지만 그렇게 말씀해 주셔서 늘 감사하다. 내가 생각해도 난 인복이 정말 많다고 생각한다.

우리 학교 교육 가족 모두 너무 훌륭하고 소중한 분들이다. 내가 인복이 많아서 좋은 분들과 함께 근무할 수 있었다고 생각한다. 한 분 한분 떠 올려 보아도 누구 한 명 신경 쓰이는 사람이 없다. 모두 감사한 분들이고 자기 자리에서 열심히 일해주어 학교가 잘 운영된 것 같다.

처음 교장으로 이 학교에 발령이 났을 때

"내가 전생에 나라를 구한 것 같아요. 이렇게 좋은 학교에 발령이 나서 너무 감사합니다."

라고 인사했었는데 지금도 그 생각은 변함이 없다.

5년 반 동안 근무하면서 어려운 일도 있었지만, 늘 기분 좋게 근무하였다. 좋은 사람들과 곧 헤어지겠지만, 오래오래 가슴에 남을 것 같다.

내 마지막 일터가 여기라서 정말 좋다.

작별의 손 편지

여름방학 하기 며칠 전 점심시간에 똑똑~ 노크 소리가 났다.

평소에도 가끔 학생들이 물건을 주워오거나 교무실로 잘못 알고 노크할 때가 있어서 잠시 기다렸는데 노크 소리가 또 들렸다. 얼른 문을 열고 나가보니 지원이가 서 있었다. 지원이는 6학년으로 1학년 때부터 알던 학생이라 반가웠다. 교문에서 늘 등교 맞이를 하는데 인사를 늘 잘해 이름을 물어보고 칭찬해 준 것을 계기로 잘 아는 사이가 되었다.

2017년 3월 2일 지금 6학년 학생들이 1학년에 입학할 때 나도 서울경인초등학교 교장으로 부임하여 6학년은 정이 많이 들었다. 입사 동기 같은 마음이다. 학생들도 나를 언제나 반갑게 대한다. 내가 가끔 아파트 단지를 지나면 놀다가도 멀리서 알아보고 큰소리로 인사한다.

"교장 선생님이닷! 안녕하세요."

지나가는 사람들이 쳐다보기도 하지만, 그런 학생들이 사랑스럽다.

어디서 들었는지 내가 학교를 떠난다는 소식을 듣고 서운하여 손편지를 써서 가지고 온 거다.

"교장 선생님, 우리 6학년 졸업할 때까지 계시면 안 돼요?"

하며 눈물을 글썽거렸다. 나도 가슴이 뭉클하여 눈시울이 붉어졌다.

3월 중순에는 대부분의 학교에서 학부모 총회를 한다. 학교운영위원회 위원도 선출하고 학부모회도 구성해야 해서 꼭 개최해야 하는 연례 행사. 2020년에는 코로나가 발생한 지 얼마 되지 않아 학부모 총회를 하지 못했고 2021년부터는 코로나 상황이라 학부모 총회를 원격으로 실시했다.

학교장 인사말을 하던 중

"얼굴 보며 인사드리는 것이 오늘이 마지막이라서 미리 인사드립니다."

라고 8월 말에 정년퇴직한다고 말씀드렸다. 그래서 대부분의 학부모님께서는 내가 1학기만 근무하고 퇴직한다는 것을 알고 있다. 지원이도 엄마에게 들어서 내가 1학기에만 근무하고 학교를 떠난다는 것을 알고 손 편지를 써온 것 같다. 아마 여름 방학식까지만 근무하는 줄 알았던 모양이다. 개학식 날에 학생들에게 인사하고 학교를 떠날 거라고 이야기해주고 편지를 받고 헤어졌다

지원이 손 편지

교장 선생님께
안녕하세요? 저 지원이에요.
교장 선생님을 뵈었을 때가 1학년 입학식이었는데 벌써 6년이 지났네요.
교장 선생님, 그동안 저 예뻐해 주시고 이름도 기억해 주셔서 고맙습니다.
2학기 졸업식까지만이라도 계셨으면 좋을 텐데 정말 아쉬워요.
(이하 생략)

매년 스승의 날에 학생들에게 손 편지를 받았지만, 방학 전에 몇 명 학생에게 작별의 손 편지를 받고 보니 이제 정말 학교를 떠나는 구나 실감이 났다. 5년 반 동안 매월 방송으로 책을 읽어주고, 아침 조회를 하고, 교문에서 아침 등교 맞이를 하면서 만났다. 가끔 교실에 들어가 수업을 하며 정들었던 우리 학교 학생들이 오래도록 기억될 것 같다. 개학식 날 내가 먼저 울까 봐 작별 인사를 어떻게 해야 할지 벌써 걱정이 된다.

2017년 3월 1일에 부임한 후 정말 많은 학교 행사가 있었다.
매년 5월에는 우리 학교 잔디 운동장에서 학생회 주관으로 '사랑 & 나눔 어울림 장터(알뜰 바자회)'가 있었다. 전교생이 모두 참여하는 행사로 이날 얻은 수익금 일부를 학생들이 자발적으로 기부하여 모은 기부금을 초록어린이재단에 전교 학생회 이름으로 기부하였다. 2017년부터 2019년까지 3년 동안 매년 실시하였지만, 코로나 19로 인해 2020년부터 진행하지 못했다.

우리 학교의 또 다른 자랑은 아버지회 활동이었다. 아버지회는 150여 명의 아버지로 구성된 자발적인 단체다. 아버지회 주관으로 매년 10월 초에 진행되었던 '아빠와의 추억여행 창의 체험 부자녀 캠프'도 기억에 남는다. 어머니는 참여하지 않고 자녀와 아빠가 1박 2일 동안 함께 지내며 단절된 대화의 물꼬를 트는 귀한 행사가 되었다. 2017년에는 214명 정도가 참여하였는데 2019년 세 번째 행사에서는 전세버스 8대가 움직일 정도로 많은 인원이 참가하여 1박 2일 동안 추억을 만들었다.

아이들이 가장 좋아했던 행사는 가을 대운동회를 들 수 있다. 연습도 없고 점수판도 없는 즐기는 운동회였다. 처음에는 조금 염려가 되었지만, 운동회 당일에 많은 학부모님께서 함께 참가해서 즐거운 운동회가 되었다. 운동회로 선생님과 학생들이 스트레스받지 않고 교육공동체 모두가 행복하게 즐길 수 있는 그런 운동회가 되었다.

2017년 12월 28일 문화일보 '선생님 선생님 우리 선생님' 코너에 '10분 책 읽기로 인성 키워주고 알뜰 장터 열어 나눔 실천'이란 제목으로 기사가 실렸다. 그리고 2019년 대교 '눈높이 교육상' 후보에도 올랐다. 최종 결과는 후보로 선정되진 못했지만 3배수까지 오른 것만으로도 너무 뿌듯하다. 이 모든 것이 우리 학교 학생, 학부모, 교직원이 한마음으로 노력했기 때문이라고 생각한다. 너무 감사하다.

우리 학교 교육 비전이

 행복을 만들어 가는 학교, 어울림이 있는 경인 교육'

이었다.

서울경인초등학교에서 5년 6개월 동안 우리 학교 교육 비전을 실천하며 모두가 행복한 학교를 만들기 위해 노력하였다.

매월 방송으로 책을 읽어주며

등교 맞이를 하며

매년 식목일 즈음에 학부모회와 학교 정원에 꽃 심기를 하며

우리 학교 인사말 '사랑합니다. 좋은 하루 보내세요.'로 인사하며

5년 6개월 동안 정말 행복했다.

비록 이제 갈 수 없는 곳이 되었지만

우리 학교 학생들이

모두 건강하고 예쁘게 자라 사회에 빛과 소금이 되기를 바란다.

하고 싶은 일, 좋아하는 일 하며 행복하게 성장하기를 기도한다.

따뜻한 손 편지는 오래도록 간직할 것 같다.

기분 좋은 선물

퇴직하며 기분 좋은 선물을 받았다.

'지나온 길 돌아보니 모든 것이 은혜여라.'

부채에 쓰여있는 글이다. 부채는 학부모 회장님께서 직접 그림을 그리고 글을 써서 만들어 주신 퇴직선물이다. 정성이 많이 들어간 선물이라 너무 감사하다. 내 마음을 어떻게 알고 마음에 쏙 드는 그림이랑 글을 새겨 넣었을까. 5년 반 동안의 만남 가운데 내 마음을 너무 잘 아셔서 이렇게 예쁜 작품을 만들어 주신 것 같다. 솜씨가 너무 좋다고 말씀드리니 캘리그래피를 배우셨다고 한다. 역시 부지런하신 분이구나 생각했다. 부채를 볼 때마다 고마운 분 생각하며 핸드백에 넣고 다니며 잘 쓸 거다. 해 드린 것도 없고 도움만 많이 받은 분인데 떠나는 길에 주신 선물이라 더 고맙다.

"그동안 감사합니다. 부채 덕분에 시원하게 여름 잘 지내겠습니다."

부채를 받고 고마워서 시도 한 편 써 보았다.

여름 부채

예향 유영숙

너에게서 꽃향기가 난다
너한테서 풀 냄새도 난다

너는 꽃밭을 품었다
소박한 백일홍도
화려한 접시꽃도
더운 여름 햇살을 뚫고 핀 배롱나무의 분홍꽃도 모두 품어
너는 향기롭다

너는 들판도 담았다
들판에 가득 핀 개망초도
바람에 살랑살랑 꼬리 흔드는 강아지풀도
장맛비에 쑤욱 자란 이름 모를 풀도 담아
너는 너무 시원하다

나는 너를 좋아한다
그래서 늘 곁에 두고 함께 다닌다

손자가 모기장 속에서
편하게 낮잠을 잔다

선풍기는 소리가 커

손자가 깰까 봐 치워 버렸다

조용히 다가가 너를 살살 흔들어준다

손자에게

꽃향기를 날려 준다

방안 가득 꽃향기가 날아다닌다

손자에게

풀 냄새도 전해 준다

시원한 풀냄새에 예쁜 꿈 꾸며 잘도 잔다

　선물은 언제 받아도 기분 좋다. 특히 정성이 들어간 선물은 감동적이다. 기대하지 않았는데 뜻밖의 선물을 받았을 땐 더 행복하다.

　우린 기념일에 주로 선물을 주고받는다. 생일, 어버이날, 어린이날, 결혼기념일 그리고 추석이나 설날에도 선물을 주고받는다. 선물은 받을 때도 좋지만 줄 때도 행복하다. 선물을 준비하는 동안 받을 사람을 많이 생각하게 된다. 취향이 어떤지, 평소에 액세서리를 좋아하는지, 스카프는 어떤 색이 어울릴지 등 깊이 고민하게 된다. 그러다가 정하지 못할 때는 그냥 현금을 예쁜 봉투에 넣어서 짧은 편지와 함께 준다. 나는 며느리 선물 고를 때 신경을 많이 쓴다. 가끔 현금만 주는 것보다는 좋아하는 물건을 하나 사서 함께 주고 싶을 때가 있다. 그럴 때는 백화점에서 물건을 사고 교환할 수 있는

지를 꼭 물어보고 마음에 안 들면 교환하라고 말하고 준다. 대부분 현금을 줄 때가 많다. 현금은 조금 성의가 없어 보이지만, 필요한 것을 사면 되니까 합리적인 선물인 것 같다.

지난 2022년 4월 5일은 결혼 39주년이었다. '인생을 심는다.'는 의미로 1983년 4월 5일 식목일에 결혼하였다. 예전에는 식목일이 휴일이어서 결혼기념일에 쉬어서 좋았는데 요즈음은 휴일이 아니라서 아쉽다. 어느새 세월이 이렇게 빨리 지나갔는지 모르겠다. 내년이 40주년이라 리마인드 웨딩을 계획하고 있어서 올해는 그냥 지나가려고 했다. 저녁에 남편이랑 와인 한잔해야지 생각하며 퇴근하였는데 남편이 벌써 와 있었다. 치킨이 먹고 싶다고 해서 치킨을 주문했다. 예전 같으면 좋은 음식점에 가서 식사도 하였을 텐데 3월부터 오미크론 변이 바이러스로 인해 확진자가 급증할 때라 음식점에 가기조차 어렵던 시기였다. 주문한 치킨이 도착하여 간단하게 상을 차리고 있는데 남편이 잠깐 방에 들어갔다 나왔다.

손에는 장미꽃 바구니가 들려 있었다. 그것도 장미꽃 39송이다. 결혼 39주년이라 장미꽃 39송이를 준비한 것 같다. 예전에 마흔 살 생일 때도 장미 마흔 송이 꽃다발을 주어 감동을 준 적이 있었지만, 이번 결혼기념일엔 생각지도 않았기 때문에 깜짝 놀랐다.

"올해 당신 퇴직이라 많이 서운할 것 같아서 준비했어요."

올여름에 그동안 몸담고 있던 학교를 떠나기에 나를 생각해서 준비했다고 한다. 아마 내가 퇴직을 앞두고 많이 서운해할 것 같아 위로해 주려는 마음으로 준비하였다고 생각한다.

'그냥 장미꽃 한 송이도 좋은데……'

내가 낭만이 없어서일까. 물론 마음속으로만 생각했다. 사실 꽃다발은 받는 순간만 좋다. 꽃병에 꽂아두었다가 버릴 때도 귀찮다. 나를 생각하는 마음은 고맙지만 아깝기도 했다. 하지만 남편의 마음을 아는지라 고마운 마음에 울컥했다. 집 근처 꽃집에 장미가 많지 않아 여러 군데를 돌아다니며 준비하였다고 한다. 젊은 사람 같았으면 인터넷으로 주문하였을 텐데 그 정성에 감동이 되었다.

장미 39송이 꽃바구니는 두 달 정도 발코니 테이블에 두고 보다가 안개꽃이 자꾸 떨어져 결국 쓰레기통에 버리고 말았다. 그날 꽃바구니와 함께 받은 목걸이는 마음에 들어 요즘도 자주 착용한다. 그래도 나이 들면 남편이 최고다. 올해는 멋진 선물을 받았으니 내년에는 내가 좋은 것을 선물해야겠다. 어쩌면 매일 맛있는 밥 차려주고 좋은 말로 칭찬해 주는 것이 어떤 선물보다 더 큰 선물이 될 수도 있다. 앞으로 남편을 더 배려해주고 이해해 주는 아내가 되리라 다짐해 본다.

호적 나이
만 육십이 세에 퇴직했습니다

지난 8월 말 호적 나이 만 육십이 세에 퇴직하였다. 실제 나이는 한 살 더 많은데 호적에 일 년 늦게 올리는 바람에 일 년 늦게 퇴직하였다. 부모님께 고마워해야 할까. 먼저 퇴직한 선배님 말씀처럼 시원섭섭하다. 사실 요즘 교장도 권리보다는 책임이 많은 직업이라 힘들기에 시원하다는 쪽이 더 크다. 후배 교장들이 퇴직을 축하하면서

"선배님, 부럽습니다."

라고 말한다. 그 말은 나를 위로해 주기 위함도 있지만, 다시 1년을 잘 살아내야 하는 걱정도 들어 있어서 반은 진심이라고 생각한다.

강릉에서 여고를 졸업하고 서울교대에 입학한 후 교사로 첫 발령을 받고 교사로 31년 6개월, 교감으로 5년 6개월 그리고 마지막 교장으로 5년 6개월을 보내고 퇴직하였다. 42.06이란 숫자가 오늘

zero가 되는 날이다. 지난 세월을 돌이켜 보면 참 열심히 살았다. 학창 시절에는 공붓벌레로, 교사 시절에는 일벌레로 살았다.

  아버지께서 강원도 홍천 두메산골 초등학교 교사여서 초등학교 6학년부터 강릉 외가에서 살았다. 나의 장래를 걱정하신 부모님께서 그래도 큰 도시인 고향 강릉으로 전학을 시켰기 때문이다. 외가도 넉넉한 살림이 아니었다. 외할머니와 사별하신 이모와 이종사촌 두 명과 나 이렇게 다섯 명이 초가집에서 살았다. 외할머니와 이모는 여름에는 누에를 키우며 텃밭에 채소를 가꾸어 팔았고, 겨울에는 가마니를 쳐서 팔아 살림을 유지해 나갔다. 어쩜 가난한 살림에 내 입하나 보태서 더 어렵지는 않았을까 이제야 느낀다.
  중학교 다닐 때는 전기가 들어오지 않아 골방에서 등잔불을 켜놓고 늦게까지 공부하다가 졸아서 머리카락을 그슬리기도 하였다. 열심히 공부한 덕에 여고를 차석으로 입학하여 장학금도 받았다. 그런 나를 칭찬해 주고 싶다. 여고 시절은 하고 싶은 일이 많았지만, 우선순위가 대학 합격이었기에 열심히 공부하여 서울교대에 합격할 수 있었다. 서울교대에 합격한 것은 부모님의 소원을 이뤄 드린 일이었고 2년만 대학을 다니면 졸업해서 돈도 벌 수 있고 대학 학비도 적어 부모님께 효도할 수 있다는 생각에 교대 가길 잘했다고 생각하였다. 맏딸이라 철이 조금 일찍 들었던 것 같다. 그렇다고 가기 싫은 대학을 억지로 간 건 아니다. 초등학교 4학년 때부터 나의 꿈이 선생님이어서 꿈을 이룬 거다. 꿈이 한 가지가 아니기에 몇 가지 꿈 중에서 한 가지를 이루었다고 하는 편이 맞다.

교사로 지내는 동안 많은 제자가 생겼다. 그래서 보람도 느끼지만, 지나고 보니 후회되는 일도 있다. 아이들을 좋아하기에 매년 새로운 아이들을 만나면 일 년 동안 최선을 다하려고 노력했지만 돌이켜보면 그때 좀 더 잘해 줄 걸 하는 후회도 든다.

나는 전소영 그림책 '연남천 풀 다발'을 좋아해서 자주 읽는다. 글 중에서 마지막 구절을 특히 좋아해서 매년 3월 첫 교직원 종례 때 선생님들께 꼭 읽어드렸다.

어느덧 계절은 다시 돌아오지만
언제나 똑같은 계절은 없다.
반복되는 일에도 매번 최선을 다한다.

교사들은 매년 3월 1일 새 학년도가 시작되면 새로운 아이들을 만난다. 새로 만나는 아이들이 힘들게 할 수도 있지만, 사랑으로 최선을 다해 1년 동안 학급을 담임하라는 의미이다. 가장 좋은 선생님은 '내 아이를 맡기고 싶은 그런 선생님'이라고 한다. 이 말도 꼭 말씀드렸다.

교사 시절 승진에 대한 고민을 마흔이 넘어서 조금 늦게 하였다. 교감 승진을 위해서는 대학원을 나와야 했다. 교대가 2년 제라 대학원에 가려면 편입을 하여 학사학위를 취득해야 했다. 아들 둘이 초등학교에 다닐 때여서 야간 대학에 가는 것은 어려울 것 같아 방송통신대학교 국어국문학과에 편입하였다. 많은 학과 중에서 국어국문학과를 택한 것은 내 안에 글을 쓰고 싶은 욕망이 있었던 것 같다. 취미가 독서라고 말할 정도로 책을 좋아했고 늘 담임을 하면서 독서 교육을 위해 연구하고 노력했기에 갈등 없이 국어국문학과를 선택했다. 그러나 국어국문학과가 그렇게 어려운 공부인지 몰랐다. 어려운 국어국문학과를 졸업하고 대학원에 갈 수 있었던 것은 피나는 노력 덕분이라고 생각한다. 그런 나의 노력을 칭찬해 주고 싶다. 대학원을 졸업하고 아버지의 꿈을 대신 이뤄드렸다. 승진은 정말 어려운 여정이었지만 참고 견딘 것은 아버지가 교감의 꿈을 이루지 못하고 돌아가셨기 때문에 아버지의 꿈을 대신 이뤄 드려야겠다는 생각 때문이었다.

이제 교장으로 정년퇴직을 하게 되었다. 코로나 상황이라 모든 걸 생략하고 그냥 작별 인사만 하고 싶었다. 그러나 보내는 입장에서는 그렇게 하긴 너무 서운하였으리라 생각한다. 나도 그랬다. 지난 2월 말 퇴직하시는 세분도 그냥 퇴임식 안 하고 조용히 떠나고 싶어 하셨다. 하지만 보내는 나는 그럴 수 없었다. 그래서 소박하지만 따뜻하게 퇴임식을 해드렸다. 그런 마음을 이해하기에 최소한으로 식을 하기로 했다.

퇴임식 당일도 코로나 확진자가 많이 나온 상황이라 걱정도 되었지만 짧고 가장 따뜻하게 퇴임식을 마쳤다. 언제 영상 편지를 준비했는지 고마움에 자꾸 눈물이 났다. 1학년 1반부터 6학년 8반까지 전체 학생이 출연하여 학년 특성을 살려 준비한 유머를 가미한 따뜻한 영상 편지를 보느라 웃기도 하고 감성에 젖기도 하였다. 교직원도 학년별로 행정실까지, 거기다 많은 연예인까지 등장시켜 편집

한 영상을 보며 큰 감동을 받았다. 육아휴직 중인데도 동영상을 편집해주신 이민영 부장님이 참석해주어 퇴임식의 분위기를 더해 주었다. 감사한 마음을 어떻게 전해야 할지 모르겠다. 이문주 친목회 장님의 재치 있는 사회로 무거운 퇴임식이 따뜻한 퇴임식이 되었다. 내가 복이 많구나. 이렇게 좋은 분들과 함께 근무했으니. 내 마지막 일터가 여기라서 너무 감사하다.

"교직원 여러분, 그동안 감사했습니다. 베풀어주신 따뜻함 잊지 않겠습니다."

오늘부터 자연인이다. 새털처럼 가벼운 마음으로 제2 인생을 준비해야겠다.

이제 꽃길만 걷고 싶지만 자갈밭도 있고 풍랑도 만나겠지. 그러나 꿋꿋하게 살아낼 거다. 내 앞에 어떤 새로운 인생이 기다리고 있을지 제2 인생이 기대된다.

유 작가의 새로운 일터 책방 정리

9월 1일이다. 새로운 인생 1일 차다. 오늘 어떻게 보낼까 생각하다가 나의 새로운 일터가 될 책방을 정리해야겠다고 생각했다. 우린 서재를 책방이라고 부른다. 책방은 그동안 남편이 주로 사용해서 어질러놓아도 잔소리를 하지 않았다.

책방은 그리 크진 않다. 책장과 책상 위에 노트북과 모니터가 놓여 있다. 남편이 매일 입는 옷을 걸어놓는 옷걸이와 3단 서랍장도 있다. 책꽂이 앞에는 여러 가지 잡다한 물건들이 꽂아둔 책 앞에 즐비하게 놓여 있다. 벗어놓은 옷들이 옷걸이에 걸려 춤을 추듯 붙박이장 문고리에도 걸려있다. 너무 어수선하여 심란하다. 먼저 남편 옷부터 옮겨야지 생각하고 안방 옷장을 정리하여 공간을 만들었다. 남편 옷을 안방으로 옮기고 옷걸이를 치우니 책장의 어지러움이 눈에 들어왔다.

책장을 정리하기 전에 먼저 책상 서랍에 있는 것을 모두 꺼냈다. 버릴 것과 사용할 것을 구분하여 서랍 정리를 하였다. 이젠 내가 더 많이 사용할 책상이라 문구류 등을 사용하기 편하게 정리하였다. 다음엔 책장 아래 공간을 정리하였다. 버릴 것이 너무 많았다. 버릴 종이류가 두 상자다. 책꽂이 앞에 지저분하게 올려져 있던 물건들을 책장 아래 공간으로 옮기고 나니 가슴이 시원했다. 책장에 꽂혀있는 책들이 이제 눈에 잘 들어온다.

비움의 행복을 다시 한번 느낀다.

책장에 있는 책들은 작은아들이 책을 좋아해서 대학 다닐 때 용돈으로 사서 모아놓은 책들이 대부분이다. 장가가면서 아직 가져가지 못해 우리 집 책장에 그대로 있다. 문학전집도 있고 소설, 수필, 경제 서적, 판타지 장편 소설 등 종류도 다양하다. 읽어야지 하면서 못 읽었던 책들을 이제 한 권씩 꺼내서 읽으려고 한다.

시집도 책꽂이 한 칸을 채울 정도로 많다. 오늘부터 하루 한편 시를 필사하려고 한다. 천상병 시집 '아름다운 이 세상 소풍 끝내는 날'이 먼저 눈에 들어와 꺼냈다. 천상병 시인의 시는 참 편안하다. 나도 이렇게 감동은 있지만 편안한 시를 쓰고 싶다. 시인 김용택이 사랑하는 시 '시가 내게로 왔다'도 보인다. 윤동주 시선집 '하늘과 바람과 별과 시'도 있다. 이제 읽어볼 시집과 책들이 많아 마음이 부자가 되었다. 용돈은 내가 주었지만, 아들이 고맙다.

책상을 마지막으로 정리하고 컴퓨터를 켜서 브런치 홈을 열었다. 이렇게 여유 있게 글을 쓸 수 있다니 너무 행복하다. 나의 새로운 일터 책방이 변신하였다. 일할 맛이 난다. 브런치에 새로 올라온 글을 읽으며 내 글도 발행한다. 늘 핸드폰으로 글을 읽고 발행하던 일을 이제 컴퓨터로 많이 하게 될 것 같다. 활동을 잘하지 못했던 카페에도 오랜만에 들어가 본다. 머리가 맑아진다. 이게 여유구나 하는 생각도 든다.

나의 새로운 일터가 너무 맘에 든다. 사용하다 보면 다시 어질러지겠지만 그때마다 조금씩 정리하며 내 일터를 잘 가꾸리라.

새로운 일터에서 내 꿈이 이루어지길 기대해 본다.

대장암 검사 알약도 있다지만

2022년은 태어난 해가 짝수인 사람들이 국민건강검진을 받는 해다. 2년 만에 한 번씩 받는데 왜 이리 빨리 돌아오는지 모르겠다. 봄부터 남편과 건강검진센터를 검색하다가 세종병원에 예약하였다. 장내시경과 위내시경을 수면으로 하려면 사전에 의사 선생님을 면담해야 해서 7월 15일에 병원을 방문했다. 검진 날짜를 8월 16일 3시로 예약하였다. 내시경 전에 일반 검진도 해야 해서 당일 1시까지 가야 한다.

1주일 전부터 음식도 신경이 쓰였다. 먹지 말라고 하니 더 먹고 싶었다. '참았다가 검진하고 실컷 먹어야지.' 하는 생각과 다르게 젓가락이 자꾸 반찬을 향한다. 지금까지 장내시경을 세 번 받았는데 이번에는 처음으로 오후 검사다. 오전에 검사하려면 10월까지 기다려야 한다고 해서 하는 수 없이 오후로 예약하였다. 새벽 5시부터 일어나서 혈압약을 챙겨 먹고 6시부터 힘든 장 청결제를 복용하였다. 30분 동안 크린뷰올산 500밀리를 조금씩 마시고 그 후에 30분 간격으로 생수 500밀리를 두 번 마셨다. 9시부터 똑같은 방법으로 복용하며 화장실을 들락 낙락하였다. 장내시경을 해본 분들은 이 과정이 얼마나 힘든지 모두 아실 거다.

알약도 있다는데 알약 먹는 병원을 찾아볼 걸 그랬나 잠시 후회가 되었다. 내시경은 3시였지만 일반 검진도 있어 시간을 앞당겨 카카오 택시를 불러 병원에 도착했다. 수면 내시경 후에 절대로 운전하면 안 된다는 약속을 지키기 위해서였다. 병원에 도착하여 일반 검진실로 갔다. 생각보다 너무 조용하고 붐비지도 않았다. 예약시스템이 잘 되어 있는 것 같다. 순서대로 X-ray 촬영까지 마치고 내시경 하는 곳으로 갔다. 그동안 장내시경을 세 번 받는데 용종도 없었고 위도 위염만 조금 있어 며칠 동안 약만 먹었다. 내시경을 마치고 회복실로 왔는데 배가 너무 아팠다. 가스가 많이 나와야 한다고 했지만, 가스는 나오지 않고 정신이 맑게 돌아왔는데도 배는 계속 아팠다. 이번에 내시경 하면서 용종을 2개나 제거하고 위에서는 조직 검사도 하였다고 한다. 은근히 걱정되었다.

자세한 검사 결과를 들으러 8월 24일로 예약하고 돌아왔다. 집에 와서도 배는 계속 아팠고 속도 울렁거려 누웠는데 바로 잠이 들었다. 저녁을 먹는 둥 마는 둥 하고 바로 잤다. 다음날 다행스럽게 배 아픈 것은 없어졌다. 이제 검사 결과를 보러 가면 된다. 조직 검사 한 것이 별일 없기를 바란다.

검사 결과 보는 날이다. 검사 이후에 조직 검사가 계속 신경 쓰였다. 별일 없을 거라고 위로해 보지만 머리에서 떠나지 않는다. 진료실을 노크하는데 너무 떨렸다.

대장내시경에서 제거한 용종 두 개는 크기가 작아 별문제가 없단다. 위내시경은 염증이 있어 조직 검사를 하였는데 다행스럽게 양성은 아니란다. 헬리코박터균 검사도 했는데 이상 없다고 한다.

'하나님, 감사합니다.'

매년 위내시경 검사는 꼭 하고 대장암 검사도 3년에 한 번씩 꼭 하라고 하신다. 그것쯤이야 하면 되지.

며칠 지옥 같았던 마음에 햇살이 비치니 천국이 되었다.

이제부터 건강에 좀 더 신경 써야겠다. 육식보다 채식 위주로 식사하고 규칙적으로 운동도 해야겠다. 바쁘다는 핑계로, 덥다는 핑계로 운동을 하지 못했다. 핑계 대지 말고 아파트나 근린 공원 걷기 운동부터 시작해보려고 한다. 아무래도 핸드폰에 만보기 앱도 다운로드하여야겠다. 그러다 몸에 맞는 운동도 찾아서 꾸준하게 해야겠다.

특히 퇴직하면 연금으로 살아야 하는데 병원비로 많이 나가면 안될 것 같다. 건강이 무엇보다 가장 중요하다는 것을 알면서도 아플 때뿐이고 자꾸 소홀해진다. 이렇게 만천하에 소문냈으니 이번에는 잘 지킬 것 같다.

운동이 살 길이다.

내 꿈은 Dream일까, Vision일까

오랜만에 진로 교육을 하러 이웃 초등학교를 방문하기로 하였다. 집에서 그리 멀지 않은 곳에 있었다. 추석 전날 남편과 지도검색을 하고 사전 답사를 하였다. 큰길로도 갈 수 있었지만, 시간 단축을 위해 쌍둥이 손자와 자주 갔던 근린공원 트랙을 지나 주차장으로 가니 초등학교가 눈에 들어왔다. 멀리서 봐도 꽤 잘 지은 초등학교 같았다. 남편과 교문 앞까지 걸어가 보니 딱 15분 걸렸다. 당일에도 아파트 단지 끝에 있는 숲길을 지나고 근린공원 트랙으로 걸어가려고 한다.

추석 연휴 동안 강의할 PPT를 수정하고 시연해 보기를 반복하였다. 교직에 있을 때도 학부모 강의와 학생 교육을 많이 하였기에 PPT를 만드는 것은 그런대로 할 줄 안다. 초등학교 6학년 학생이기에 1시간 동안 지루하지 않도록 짧은 동영상 파일을 세 개 정도 삽입하였다. 제목도 호기심을 가지기에 충분한 것으로 정하려고 고심한 끝에 '내 꿈은 Dream일까요 Vision일까요'로 정해 보았다.

동영상으로 만화 캐릭터가 등장하는 스티븐 스필버그가 꿈을 이루기 위해 노력한 영상과 박지성 영상(다음 수업에는 손흥민 영상을 찾아보려고 함), 그리고 '좋아하는 일 vs 잘하는 일'을 삽입하였다. 대학원 때 논문으로 썼던 '다중지능이론'에 대해서도 조금 알아보고 다중지능 중 '자기 이해 지능'의 중요성을 말해 주려고 한다. 진로 교육 학습지 한 장도 만들어 1차시는 강의를 하고 2차시는 실제 자기의 꿈을 그려보는 활동을 하려고 하는데 수업이 잘 되기를 바란다.

진로 교육을 통해 막연한 꿈 Dream이 아닌 꿈을 점검하고 구체적인 계획과 노력을 통해 Vision을 이루기를 기대해보며 출발하였다. 교무실에서 교감 선생님께 인사드리고 6학년 부장님 안내로 6학년 교실에 도착하니 26명의 눈이 나를 향한다.

꿈이 무엇인지 먼저 물어보았다. 유튜버, 선생님, 프로그래머, 요리사, 의사 등 다양한 꿈이 나왔지만, 아직 꿈을 정하지 못했다는 학생들도 많았다.

두 시간 진로 교육을 통해 꿈에 대해 진지하게 생각해 보는 시간이 되기를 기대하며 강의를 시작하였다. 오랜만에 하는 수업이라 약간 긴장이 되었지만, 반짝이는 눈을 보며 열정을 다해 수업을 진행했다. 내가 꿈을 이룬 이야기도 해주고 선생님이 되기 위해 노력할 것도 중간중간에 이야기해주며 수업을 성공적으로 잘 마쳤다. 수업 후에 진로 학습지를 풀며 한 가지씩 하고 싶은 일(꿈)도 잘 완성하였다.

나는 진로 교육을 할 때마다

"잘하는 일을 해야 할까요? 좋아하는 일을 해야 할까요?"
를 질문하며

잘하는 일을 하다가 좋아하는 일로 옮겨가면 삶이 노동에서 놀이가 된다.

법륜스님 말씀을 한 번 더 강조하여 말해 준다.

노동이 즐거운 것인지 놀이가 즐거운 것인지는 초등학교 고학년이면 다 안다. 한 번의 진로 교육으로 꿈을 세우는 일이 완벽할 수는 없지만 5, 6학년에서는 진로 교육이 꼭 필요하다고 생각한다. 진로 교육을 통해 앞으로의 진로를 조금 구체적으로 생각해 보는 기회가 필요하다고 생각한다. 특히 예중이나 예고, 과고나 영재고, 체중, 체고 등 특수목적 중고등학교에 갈 학생들은 자기의 재능을 빨리 발견하여 돌아가지 말고 직진하는 게 시간을 버는 일이 될 거다.

내가 초등학교 4학년 때 선생님이 되고 싶은 꿈을 꾸고 꿈을 이루었듯 학생들도 잘하면서 좋아하는 일이 꿈이 되기를 기대해본다. 그리고 막연한 꿈이 아니라 스스로 구체적인 계획을 세우고 꿈을 이루기 위해 노력하는 그런 학생이 되기를 바란다.

가끔 한 번쯤
멍 때리는 하루도 괜찮습니다

추석도 지나고 추석 이틀 뒤 음력 8월 17일 남편 생일도 잘 보냈다. 올 추석은 조용히 보냈다. 조용히 보낼 수밖에 없었다. 추석 이틀 전에 큰며느리가 출산하여 병원에 입원하고 있어 큰아들만 점심에 잠시 다녀갔다. 남편 생일날마다 많은 사람이 모여 축하했었는데 올해 생일은 많은 사람이 모이지 못했다. 작은아들 부부와 쌍둥이 손주가 와서 촛불도 꺼주어 그나마 할아버지 생신이 쓸쓸하지 않았다. 코로나가 많은 것을 바꾸어 놓았다. 하지만 요즈음 그런 것이 하나도 이상하지 않다.

몇 년 전부터 우리 가족은 추석 연휴에는 여행 가는 걸로 정했었다. 코로나 직전 2019년 추석 때 북경을 다녀온 후 코로나로 인해 여행 계획은 물거품이 된 지 벌써 삼 년째다.

조용히 보낸 추석이었지만 평소에 잘 안 해 먹는 명절 음식도 만들어 먹으며 명절 분위기를 조금 냈다. 사실 전은 잘 가는 반찬가게에 미리 주문했고 마른 고사리와 취나물은 시누이가 사다 준 것을 삶아서 볶았다. 지난 설날에 고사리를 너무 삶아서 볶으니 완전히 물컹거려서 먹지 못했던 기억이 있다. 이번에는 신경 써서 삶았는데도 약간 덜 삶을 걸 하는 생각이 들었다. 그래도 먹을만했다. 다음에는 완벽하게 성공하리라 생각해 본다. 별로 한 것이 없는 것 같은데도 명절이 끝나고 나면 이상하게 쉬고 싶다.

오늘은 오로지 나 혼자만의 시간이 주어졌다. 출근을 안 하니 외출할 일도 자주 없어 오늘은 최소한으로 움직이며 멍 때리기를 했다. 오늘 두 끼는 모두 귀농한 동생이 보내준 옥수수로 해결하려고 한다. 워낙 옥수수를 좋아하기에 하루쯤 옥수수로 때운다고 해도 너무 좋다. 삶아서 냉동실에 넣어두었던 강원도 찰옥수수를 꺼내 찜기에 쪘다. 아점으로 두 개를 먹고 오후에 배고프면 두 개 정도를 먹으려고 한다. 오늘은 식사도 대충 하고 집안일도 하지 않고 그냥 하루 종일 멍 때리며 지내보려고 한다.

리클라이너 소파를 눕혀 다리를 쭉 뻗고 TV를 틀었다. 뉴스를 보다가 머리만 아파 적당한 드라마를 찾아보았다. 1시간 이상 걸리는 출근길을 오랫동안 다니다 보니 일찍 자고 일찍 일어나는 습관이 몸에 배어 평소에는 9시부터 마스크팩을 얼굴에 얹어놓고 뉴스를 보다가 10시에 떼어 영양 크림을 바르고 침대에 눕는다. 바로 잠들지 못해 드라마를 하는 10시 30분경에 자기 때문에 저녁에 드라마를 거의 보지 못한다. 최근에 '이상한 변호사 우영우'를 본 이후에 다른 드라마를 거의 보지 못했다. 제목을 보고 적당한 드라마를 1편부터 재생했다. 성격상 모든 드라마를 중간부터 보는 건 내 생전에는 없기에 1편부터 보기 시작했다. 핸드폰도 멀리 던져놓고 머릿속도 모두 지워버리고 멍 때리는 하루를 시작했다.

얼마 만에 멍 때리는 하루인지 머리가 휴식을 찾으니 잠도 솔솔 왔다. 퇴직하고 마음이 편할 줄 알았는데 안 해도 되는 생각들이 꼬리에 꼬리를 물어 밤잠도 많이 설쳤는데 오늘 제대로 멍 때리며 휴식을 취할 수 있어 구름 속을 걷는 기분이다. 졸면서 보다 보니 벌써 6회를 하고 있다. 하루 종일 멍 때리고 나니 무겁던 머리도 가벼워지고 아픈 허리도 왠지 덜 아픈 것 같다. 기분 탓이겠지만 오늘만큼은 여유 가득하다. 먹은 게 없으니 설거지할 것도 없고, 오늘 청소는 로봇 청소기에게 맡기니 나는 있는 듯 없는 듯 하루를 보냈다.

가끔 한 번쯤 멍 때리는 하루도 괜찮은 것 같다. 멍 때리고 나니 다시 뭔가를 하고 싶은 의욕이 생긴다. 내일부터는 다시 글도 열심히 쓰고 미뤄두었던 사진도 정리하며 활기찬 날들을 보낼 수 있을 것 같다. 자주 그러면 안 되겠지만 가끔 이렇게 모든 걸 내려놓고 머리부터 발끝까지 안마의자에 몸을 맡기듯 쉬는 날도 있어야지. 오늘은 나에게 스스로 주는 특별한 휴가라고 생각하고 하루 종일 잘 쉬었다. 하지만 이제 자유인이라고 매일 이렇게 보내진 않을 거다.

오늘 새벽
퇴직연금이 처음 통장에 찍혔다

　퇴직한 선배님이나 친구들을 만나면 매월 25일 새벽이면 어김없이 퇴직연금이 입금된다고 하였다. 이번 달은 25일이 일요일이라 23일 금요일에 미리 입금되었다. 아침에 일어나자마자 확인해보니 새벽 2시 48분 22초에 입금되었다. 어제부터 연금이 통장에 찍히면 어떤 기분일까 두근거렸다. 처음 받는 연금이라 기쁜 것보다는 감정이 참 묘했다. 그냥 뿌듯한 것 같기도 하고 이제 정말 퇴직했다고 하는 현실감도 느껴졌다.

　공무원은 임용과 동시에 급여에서 연금 기여금이 어김없이 공제된다. 33년 동안 매월 급여의 일정 금액이 공제되었다. 물론 국가에서 일정 부분을 지원해주지만 33년이란 긴 세월 동안 연금을 납입하였다. 국민연금보다는 조금 많아 노후 생활에 도움이 되는 것은 사실이다. 42년 6개월을 교직에 있다가 퇴직하고 받는 연금이라 감회가 깊지만 그렇게 많이 받는다는 생각은 안 든다. 공무원들은 퇴직금이 없다. 다만 퇴직수당을 조금 받을 뿐이다. 그건 조금 아쉽다.

처음 받는 연금이라 얼마나 될까 기대되었다. 공무원연금공단에서 9월 초에 받은 퇴직급여 산정 안내문과 퇴직연금 증서를 받았는데 비교해보니 1원의 오차도 없었다. 생활비하고 좋아하는 책 몇 권 사고 한 두 번 남편과 외식 정도는 할 수 있는 금액이었다. 가끔 받는 강의료는 보너스라고 생각해야겠다. 그래도 현직에 있을 때 받았던 급여보다는 매우 부족하기에 기본적으로 절약은 해야 한다.

연금 계산법은 조금 복잡하다. 코로나 직전에 퇴직하신 선배님과 비교해보니 연금이 몇 년 사이에 줄어들었다. 2년 전에 명예퇴직한 친구도 올해 조금 올라서 내가 받는 연금보다 조금 많았다. 연금이 5년 정도 동결되었다가 올해 물가 상승분만큼 올랐기 때문이라고 한다. 앞으로 연금이 계속 줄어들 거라고 친구가 말했다. 공무원연금은 교원뿐만 아니라 전체 공무원을 대상으로 계산하기 때문에 그렇다고 한다. 조금 적으면 어떤가. 조금 덜 쓰면 되지. 연금을 받는다는 것이 중요하다.

퇴직 연수 때 들은 이야기로는 공무원연금공단의 통계에 의하면 연금 수령자들의 평균 연금 수령 기간이 9.2년이라고 해서 깜짝 놀랐다. 연금 수령 기간이 10년도 안 된다는 말에 정말일까 충격이었다. 얼마 전까지는 7.5년 정도였는데 그것도 조금 늘어난 거라고 한다. 어떤 사람은 공무원이 놀고먹는다고 생각한다. 하지만 자기 자리에서 묵묵히 일하는 사람들이 더 많다. 현직에 있을 때 많이 힘들었고 스트레스도 많이 받았다는 증거이다. 어쩜 시간이 없다는 이유로 운동도 게을리하고 건강을 챙기지 않아서일 수도 있다. 퇴직 후 무엇보다 건강이 가장 중요하다는 것을 많이 느낀다. 일하다 갑자기 일을 놓으니 허전한 마음에 무너지는 것이 아닌가 싶다. 나는 술을 마시지 않지만, 술을 좋아하는 분들은 그만큼 수명이 짧지 않을까 생각된다. 이건 순전히 내 생각이다.

이제 건강 챙기는 일을 으뜸으로 생각해야겠다. 하루 6,000보 이상 걷고 마음을 긍정적으로 가지며 건강을 해치지 않는 범위 내에서 일도 하려고 한다. 건강하게 오래 살고 싶은 것은 누구나 갖는 꿈이라고 생각한다. 그냥 오래 사는 것이 아니라 건강하게 오래 사는 게 정답이다.

그래도 연금이 매달 꼬박꼬박 통장에 입금된다는 사실은 기분 좋은 일이다. 국가에 고마워해야 할 것 같다. 남편도 국민연금으로 매달 일정 금액이 들어오고 있고, 아직 일하고 있으니 우린 부자 맞다. 조금만 아끼면 자식들에게 손 벌리지 않고 살 수 있을 것이다. 물론 건강만 유지한다면 말이다. 요즘 내 지출의 대부분이 병원비다. 퇴직하고 얼마 안 되어 남편 도와준다고 책방 정리한 재활용품을 버리려고 허리를 숙이려다 허리를 조금 삐끗하여 물리치료를 받으러 다녔다. 설상가상으로 도자기 꽃병을 옮기다가 떨어뜨리며 도자기 깨진 조각이 다리를 스쳐서 정형외과에서 여섯 바늘이나 꿰매는 바람에 매일 치료하러 다녔다. 친정어머니 틀니가 하나 깨져서 치과에서 틀니를 치료해 드리며 치과에도 다녔다.

얼마 전에 첫 발령 동기인 친구가 카톡을 보냈다. 화장실에서 나오다가 넘어져서 허리를 다쳐서 병원에 한 달이나 입원하고 지금도

잘 걷지 못한다고 한다. 그러며

"화장실 앞에 물기를 항상 잘 닦아. 나도 물기 때문에 넘어져서 이렇게 된 거야."

연말에 만나 송년회도 해야 하는데 하지 못했다. 친구가 아직 외출하기에 불편하기 때문이다. 나이 들면 한번 다치면 회복하는 데도 오래 걸린다. 물론 사고는 예고 없이 찾아오지만, 그래도 조심하면 사고를 줄일 수는 있을 것 같다.

맞다. 나이 들면 첫째도 건강이고 둘째도 건강이다. 건강을 잃으면 모든 것을 잃는 거라고 하지 않는가. 다치지 않도록 돌다리도 두드려 보며 조심해야 한다. 다행스럽게 큰 병은 아니고 치료할 수 있는 거라서 다행이다. 치료받은 덕분에 지금은 많이 좋아졌다.

오늘 첫 연금을 받아서 너무 좋다. 물론 아껴 써야겠지만, 저녁에 작은아들들과 쌍둥이 손자가 오는 날이라 첫 연금으로 기념되게 맛있는 거라도 시켜 먹어야겠다. 손자 장난감도 하나 사주고, 새로 태어난 손자 내복도 하나 사줘야겠다. 기분 좋다.

퇴직 후 연금이 이렇게 기분 좋은 것임을 느낀다.

퇴직 후 첫 서울 나들이

8월 말에 퇴직하고 9월 마지막 날 처음으로 서울 나들이를 다녀왔다. 처음 교장 발령을 받았을 때 같은 지구에 함께 근무하던 아홉 명의 교장 선생님 모임이다. 처음에는 남자 다섯 명과 여자 다섯 명으로 모임 이름도 5 대 5였는데 안타깝게 작년에 남자 교장 선생님 한 분이 유명을 달리하셔서 5 대 4가 되었다. 최근에 서울은 여자 교장 선생님이 많아서 지구마다 남자 교장 선생님이 적었는데 처음이자 마지막으로 5대 5가 되었었다. 일곱 분은 이미 퇴직하셨고 이번에 내가 퇴직하는 바람에 가장 어린 막내 한 명만 현직에 남게 되었다. 막내가 몇 년째 총무 일을 맡아서 수고가 너무 많다.

코로나 때문에 2년 정도 만나지 못하다가 4월에 한 번 뵙고 오늘 두 번째 만남이다. 오늘은 막내 총무가 미술 전시회를 한다고 해서 전시회 마지막 날 작품 감상도 하고 얼굴도 보고 밥도 먹자고 해서 만나게 되었다. 퇴직하고 한 달 만에 처음으로 서울 나들이를 하게 되었다. 정말 오랜만에 서울에 간다고 생각하니 어제부터 마음이 설레었다.

한 달 전만 해도 거의 매일 출근하던 곳인데 이제는 서울이 일이 있어야 가는 곳이 되었다.

약속 시간 전에 홍익병원에 볼일이 있어서 지하철을 타고 조금 일찍 나갔다. 물론 오랜만의 만남이라 설레는 마음으로 옷도 예쁘게 차려입고 화장도 살짝 하였다. 지하철에서 브런치 스토리 글을 읽으며 가다 보니 하나도 지루하지 않았고 오히려 너무 일찍 도착한 느낌이다. 홍익병원에 들러서 잠복 결핵 검사한 검사 결과지를 받았다. 시간 강사로 나가는 학교에서 시간 강사도 잠복 결핵 검사하고 결과지를 제출해야 한다고 해서 서울 나간 김에 발급받았다. 네이버 지도검색을 하여 지하철과 버스로 겸재 정선 미술관에 도착하였다. 전시회는 1층에서 오늘(9월 30일)까지라고 했다.

전시장은 예쁘고, 세련되게 세팅되어 있어서 입구에서 전체를 한눈에 바라보아도 감동이 느껴졌다. 작가님 몇 분은 퇴직하신 분으로 아는 분이라 작품을 보며 꼭 작가님을 직접 만난 듯 반가웠다. 오랜 기간 작품 활동을 하신 분들이라 작품의 수준이 높았다. 스위스 알프스 산맥을 촬영한 사진 작품이 너무 멋지다. 사진을 보며 마치 내가 알프스산맥 앞에 서서 바라보고 있는 듯했다. 요즘 우리나라 가을 하늘만큼이나 푸른 알프스의 하늘과 희뿌연 설산이 대조적이지만, 너무 아름다운 풍경이었다.

오늘의 주인공 총무님의 작품 앞에 멈춰 섰다. 처음에는 무엇을 표현하였는지 감이 잡히지 않았는데 잠시 후에 바로 알아맞혔다. 골프를 좋아하는 후배라 노끈과 마블링을 이용하여 골프 라운딩 모습을 표현하였다. 요즘 그림은 평범한 수채화나 유화만으로 작품을 완성하기보다는 다양한 재료로 그리는 것이 많은 것 같다.

이번 미술 전시회 주제가 '일상으로의 여행 전'이라서 직장 생활 외에 일상에서 가장 행복하게 해주는 골프를 주제로 삼았다고 한다. 한 분은 광목천을 이용하여 작품을 만드셨는데 너무 세련되고 여백의 아름다움도 느낄 수 있었다. 퇴직하신 작가님들은 취미생활로 할 수 있겠지만, 현직에 있는 후배가 멋진 작품을 제작한 걸 보고 우린 대단하다며 칭찬해 주었다. 그리고 작품에 대한 설명을 들으며 감상하니 작품 하나하나가 더 귀하게 느껴졌다. 오랜만에 다양한 미술작품을 감상하며 눈이 행복했다. 방명록에 축하 인사를 남기고 저녁 식사 자리로 이동하였다.

오늘 식사는 오리다. 능이 오리백숙과 오리 주물럭을 시켰다. 급하게 서울 나가느라고 점심 먹을 시간을 놓쳐서 점심을 굶었더니 배에서 난리가 났다. 매콤한 오리 주물럭은 주물럭대로, 깊은 맛이 나는 오리백숙은 오리백숙대로 너무 맛있었다. 다 먹은 후에 백숙에는 녹두죽을, 오리 주물럭에는 볶음밥을 해서 먹었다. 배가 고프던 차에 맛있게 잘 먹었다.

한 분은 코로나에 걸려 참석하지 못하셨다. 요즈음 늘 있는 일이라 아무도 이상하게 생각하지 않았다. 여덟 명이 맛있게 식사하고 카페로 자리를 옮겨 그동안 지낸 이야기, 연금 이야기, 은퇴 후에 시작한 일 등을 나누며 시간 가는 줄 몰랐다.

퇴직 선배님들을 만나면 늘 배우는 것이 많다. 내일 배움 카드 활용하는 것도 배우고 인생철학도 들을 수 있었다. 은퇴 후 무료하지 않게 잘 보내는 Tip, 여행 이야기, 손주 육아, 봉사활동 이야기 등 에피소드가 너무 많으시다. 고정적으로 새로운 직장을 찾아 일하시는 분은 안 계셨고 사진 동호회에 가입해서 주기적으로 사진 촬영을 위해 출사를 나가시는 분이 계셨다. 참, 한 분은 공인중개사 자격증을 따서 남편과 부동산을 하는데 요즘 거래절벽이라 접을까 고민 중이라고 하셨다. 하지만 시작한 일이니까 조금 더 해보시면 좋을 것 같다. 특별한 일을 하지 않지만, 모두 행복하게 지내시는 것은 확실했다. 물론 나도 아직까진 너무 행복하게 지내고 있어 이 행복이 오래가길 바란다.

그리고 우리 모두의 공통 생각은 뭐니 뭐니 해도 '건강하게 지내는 것'이었다.

그래 건강이 최고지.

오랜만의 서울 나들이로 반가운 분들도 만나고 눈 호강도 하고 맛있는 음식도 먹으며 오늘도 행복한 하루를 보냈다. 다음 모임이 벌써 기다려진다.

아기 탄생,
새끼 새와 생명의 소중함을 나누며

8월 15일 광복절 아침 발코니에 태극기를 달다가 새집을 발견했다. 매실나무가 3층 높이까지 자라서 조금 잘라주면 좋겠다고 생각했는데 세 개의 가지가 모이는 곳에 새집이 있었다. 새집에는 어미 새가 알을 품고 있는 것 같았다. 가끔 옆 동산 쪽으로 날아갔다 돌아오긴 했지만 새 둥지를 거의 지키고 있었다. 이렇게 가까이서 새집을 보는 것이 처음이라 신기했다. 새집에 알이 몇 개가 있을까 궁금했지만 보이지 않았다.

그날부터 발코니로 자꾸 시선이 갔다. 혹시라도 소리에 놀라 알을 떨어뜨리지 않을까 봐 창문도 조심조심 여닫았다. 출근하기 전에 살짝 엿보고 퇴근하면 또 살폈다. 많은 나무 중에 우리 집 발코니 앞 나무에 집을 지었으니 우리 집 반가운 귀한 손님이라 생각했다. 우리 집에도 좋은 소식이 전해지길 바라는 마음으로 매일매일 새끼 새가 무사히 알을 깨고 세상에 나오길 기도했다. 보름 정도 되었다. 어제는 조금 늦게 출근하는 날이라 살금살금 다가가 둥지를 보았는데 어미 새가 앉아 있었다. 아직 알에서 깨어나지 않았다고 생각하며 고개를 돌리려는데 엄마 새가 날아갔다. 그런데 이 감동은 뭐지. 새집에서 새끼 새가 **빨간 주둥이**를 내밀며 소리를 내는 게 아닌가.

이 세상 어떤 것보다 아름다운 모습에 가슴이 떨렸다. 하나둘셋, 세 마리가 알 깨고 세상에 나왔다. 자연과 생명의 위대함을 다시 느꼈다. 알이 너의 모든 세상이었을 터 어둠 속에서 이십여 일 얼마나 간절하게 기다렸을까. 온몸 던져 알을 깨고 나왔으니 많이 아팠겠다. 무사히 알을 깨고 건강하게 태어나서 정말 고맙다. 이제 무더위도 물러가고 시원한 가을바람 불어 살기 좋은 계절이 왔다. 새끼 새가 잘 먹고 건강하게 자라서 엄마 손잡고 넓은 숲속 세상으로 신나게 소풍 갔으면 좋겠다.

엄마 새가 부지런히 먹이를 물어 나른다. 엄마 새가 먹이를 물어오는 동안 새끼 새들은 따뜻한 가을 햇살을 즐기며 엄마를 기다렸다. 언젠가 둥지를 떠나 넓은 세상 찾아 떠나겠지만, 그때까지 우리 집 반가운 귀한 손님이 되어 주길 바란다. 새끼 새 소식처럼 우리 집에도 멋진 왕자님 소식이 오길 매일매일 기다린다.

작은아들이 먼저 결혼해서 쌍둥이를 낳아 다섯 살이 되었다. 큰아들은 운동선수라 조금 늦게 서른다섯 살인 작년 12월 초에 결혼하였다. 코로나 확진자가 처음으로 5,000명을 찍을 때여서 걱정이 많았다. 어려운 상황이었지만 결혼식도 무사히 잘 치렀고 결혼식 후에도 별일이 없었다. 그때처럼 마음을 졸인 적이 있었나 싶다.

아기를 빨리 낳고 싶다는 소원을 하나님이 들어주셨는지 허니문 베이비가 되었다. 태명을 찰떡이라 부르며 우리 가족은 찰떡이가 건강하게 태어나길 매일매일 기도했다. 임신 초기에 산모 요가에서 산모가 확진되는 일이 생겼다. 검진 결과 산모와 아기 모두 건강하다고 해서 조금 안심이 되었지만, 그래도 태어날 때까지 걱정은 되었다. 코로나 상황이라 외식도 하지 못하고 아파트 주변 공원을 걷는 정도로만 운동을 하며 지냈다. 우리도 혹시 모를 위험에 노출 시킬까 봐 자주 가보지도 못했다. 그저 전화와 카톡으로 안부를 묻는 정도였다. 예정일이 가까운 요즘 새끼 새 소식을 전했더니 며느리도 감동이 많이 된다고 한다. 새끼 새 소식처럼 우리 집에도 좋은 소식이 오길 기다렸다.

9월 2일이 예정일이라 8월 말에 병원을 방문했는데 아직 아기가 나올 기미가 없다고 한다. 엄마 뱃속이 너무 따뜻하고 좋아서 나오기 싫은 모양이다. 예정일까지 진통이 없으면 9월 6일에 입원하여 촉진제를 맞고 출산하기로 하였다. 주말을 보내고 별 이상이 없어서 9월 6일 아침에 입원하였다. 아마 의사 선생님께서 산모에게 좀 걸어 보라고 했는지 수액을 맞으며 복도를 뛰는 듯 부지런히 걷는 큰 며느리의 영상을 보내왔다. 큰아들과 둘이서 병원 복도를 얼마나 걸었는지 발이 아프다고 했다. 그런 모습을 보며 아들과 며느리가 너무 안쓰러웠다. 엄마, 아빠 되기가 이렇게 힘든 줄 몰랐다고 한다.

'마침내' 찰떡이가 세상을 만났다. 새끼 새가 알껍데기를 깨고 세상을 만난 것처럼 찰떡이도 오랜 기다림 끝에 우렁찬 울음소리와 함께 세상을 만났다. 찰떡이는 모두가 잠든 9월 8일 한밤중 0시 40분에 건강하게 태어났다.

아들이 밤사이에 얼마나 긴장했을지 짐작이 갔다. 일어났는지 아기 사진 한 장을 보내왔다. 산모와 아기가 모두 건강하다고 해서 '감사합니다'가 저절로 나왔다. 요즘 아기들은 엄마 뱃속에서 조기교육을 하고 나와 태어나자마자 똘똘하다는 이야기를 들은 적이 있었는데 그 말이 맞는 것 같다. 아기는 예정일을 넘겨서 태어나서 그런지 다른 신생아보다 커 보였다. 영상을 보니 한 달은 키운 아기처럼 벌써 눈을 맞추는 것 같다.

찰떡이는 세 번째 손자이다. 아들 둘에 아들 손자 세 명이 되었다. 우리 집은 아들 부자가 되었다. 딸이 있는 집이 조금 부럽긴 하지만 아들만 있어도 좋다. 퇴직 전에 숙제를 마치고 손자 셋까지 두었으니 나름 성공한 인생이다. 8월 말에 42년 6개월 동안 몸담고 있던 교직을 퇴직하고 자유인이 되었다. 찰떡이는 계획한 것처럼 할머니 퇴직에 맞추어 태어났다.

마음졸인 며칠이었지만 찰떡이를 만나니 모든 시름이 다 사라졌다. 약속처럼 새끼 새가 우리 집에도 반가운 소식을 전해준 것 같아 나도 새끼 새가 숲속나라에서 잘 자라길 바란다. 이제 세 왕자님 할머니가 되었다. 오늘은 정말 감사한 날이다. 축복이 넝쿨로 들어왔다. 올해 추석은 아기 소식과 함께 더 풍성한 추석이 될 것 같다.

며느리도 반해버린 꽈리고추 멸치 조림

내가 만든 음식을 가족이 맛있게 먹을 때 가장 행복하다. 맛있다는 말 한마디에 음식을 준비하느라 힘들었던 마음도 눈 녹듯 사라진다.

요리를 다시 하고 싶은 마음이 샘솟고 요리에 자신감도 생겨 그날 식사 시간은 행복이 넘친다.

추석 연휴 이틀 뒤가 남편 생일이라 작은아들과 며느리 그리고 쌍둥이 손자가 모여 저녁을 먹었다. 큰 며느리가 9월 초에 출산하고 병원에 있어서 큰아들네는 오지 못했다. 남들이 하는 것처럼 생일 축하 노래도 부르고 케이크 촛불도 끄며 축하해주었다. 남편 생일에는 늘 추석 음식 더하기 몇 가지 생일 음식을 준비한다.

며느리 생일과 내 생일에는 대부분 괜찮은 음식점에 예약하고 외식을 한다. 여자들이 생일날까지 음식 만들고 설거지하는 것은 너무 슬픈 일인 것 같아 며느리와 우린 그렇게 하기로 정했다. 그런데 남편은 외식하는 것을 좋아하지 않아서 거의 집에서 먹는다. 그렇다고 음식을 많이 차리진 않는다. 이번에는 그냥 고기나 구워 먹자고 해서 며느리가 고기를 사 오고 내가 밑반찬 몇 가지를 준비했다.

구워진 고기 위에 지난번에 새로 담근 파김치를 곁들여 먹으니 정말 맛있었다. 작은아들이 파김치를 다 먹었다고 하며 주말에 파김치 담그는 법을 가르쳐달라고 하는데 아직은 엄마가 파김치 정도는 늘 담가줄 수 있어서 추석 전주에 담가 두었다. 아들네 줄 것은 따로 담아 두었다가 지난 주말에 갈 때 들려 보냈다. 이번에는 파가 좋아서 더 맛있게 담가진 것 같다. 파김치 담그는 실력이 더 좋아진 것 같아 자꾸 담그고 싶어진다.

남편 생일날 며느리가 식사하다가
"어머니, 멸치 조림 더 주세요. 너무 맛있어요"

꽈리고추 멸치 조림이 인기가 많다. 모두 맛있다고 한다. 평소 반찬을 싸 달라고 하지 않던 며느리가 갈 때 조금 싸 달라고 한다. 그 말이 왜 그리 반가웠는지 갈 때 통에 담아 주려고 했는데 쌍둥이 손자 챙기고 다른 것 챙기느라 깜빡하고 꽈리고추 멸치 조림 담아 둔 것을 보내지 못했다.

요즘 왜 이렇게 깜빡하는지 아들 네가 간 뒤에 생각하니 꽈리고추 멸치 조림과 함께 케이크도 잘라 보내야지 생각했었는데 그것도 보내지 못했다. 이번 주말에도 작은아들이 쌍둥이 손자를 데리고 올 거라 다시 만들어 보내야지 생각하며 아쉬움을 달랬다.

꽈리고추 멸치 조림 만드는 법

1. 꽈리고추 두 봉지와 중멸치 150g을 다듬어 준비한다.
2. 멸치는 뚜껑을 덮지 않고 전자레인지에 2분 정도 돌려준다(습기
   가 날아가서 바삭해짐).
3. 꽈리고추는 가위로 머리 부분과 꼬리 부분을 조금 잘라주고 머
   리 부분에 세로로 살짝 칼집을 내어 양념이 잘 스며들게 한다.

4. 프라이팬보다는 깊이가 있는 조금 큰 웍을 준비한다.
   (작은 것보다 뒤집기도 좋고 꽈리고추도 잘 조려짐)
5. 식용유 2스푼을 넣고 고추를 먼저 살짝 볶아준다.
   (나무로 된 요리용 수저 두 개를 사용하면 편리함)
6. 맛간장 1스푼, 만능 간장 2스푼, 맛술 1스푼, 물 반 컵을 넣고
   고추에 양념이 스며들 정도로 볶아준다(요즈음엔 여러 가지 맛간
   장이 시판되어 요리하기가 쉬워짐).
7. 꽈리고추가 적당히 익으면 준비해 둔 멸치를 넣고 볶다가 참기
   름 2스푼과 올리고당 2스푼을 넣고 볶아준다.

8. 마지막에 불을 끄고 통깨를 넣어주면 된다.

   (나는 더 고소하라고 빻은 통깨 반, 그냥 통깨 반을 넣어줌)

9. 하루 정도 냉장고에 넣어두면 양념이 배어 달콤, 짭조름 그리고 멸치가 바삭한 맛있는 꽈리고추 멸치 조림이 완성된다.

   며느리에게 보내줄 꽈리고추 멸치 조림을 반찬통에 정성껏 담아 두었다. 맛있게 먹어야 할 텐데 생각하며 이번에는 잊어버리지 않으려고 보이는 곳에 두었다. 지난번에는 통영에서 직접 사 온 멸치와 추석 밑이라 조금 비쌌지만, 알맞은 크기의 꽈리고추 2 봉지를 사서 요리했었는데 이번에는 슈퍼에서 멸치를 샀다. 맛이 조금 덜한 것 같아 걱정이 조금 된다. 꽈리고추도 크기가 조금 큰 것 같아 가위로 자른 것도 있다. 아무래도 재료 때문에 지난번 것보다 맛이 덜하면 어쩌나 걱정했는데 남편이 먹어 보더니, 간도 맞고 맛있다고 한다. 휴~다행이다.

   요리를 아무리 맛있게 해도 기본 재료가 좋아야 한다는 것을 다시 한번 느꼈다. 이제 자신 있는 요리가 두 가지로 늘었다. 파김치와 꽈리고추 멸치 조림은 정말 재료 사는 것부터 요리하는 것까지 자신 있다. 다음에는 넉넉히 해서 출산한 며느리가 퇴원하면 큰아들네도 가져야 주어야겠다. 맛있게 먹을 작은 아들과 며느리를 생각하니 저절로 미소가 지어진다.

퇴직하고 잘하는 요리가 하나둘 늘어나서 자꾸 요리하고 싶어진다. 다음에는 어떤 요리에 도전해 볼까 생각만 해도 행복해진다. 나는 아무래도 요리에 소질이 있는 것 같다.

나는 요리할 때마다 내가 만든 요리 레시피 노트를 활용한다. 요리 레시피 노트를 '유 셰프의 요리 교과서'라고 이름 붙였다. 내가 요리하며 터득한 요리 잘하는 Tip을 생각해 보았다.

(요리 초보자 요리 잘하는 Tip)

1. 나만의 요리 교과서(레시피 노트)를 만든다.
2. 요리할 때마다 조절한 양념 양 등을 포스트잇 등에 적어서 요리 교과서에 추가한다.
3. 재료를 늘 같은 양을 사서 반복해서 요리한다.
4. 재료는 가급적 싱싱하고 좋은 것을 구입한다.
5. (중요함) 요리할 때 즐거운 마음으로 한다.
6. 요리하기 전에 유튜브 등에서 요리 영상을 찾아보고 내가 할 수 있는 요리 방법을 정한다. 나는 가장 쉽게 할 수 있는 요리 방법을 기본으로 하고 나만의 레시피를 만든다.

part 2

둘째 달 퇴직일지

'10월의 기도'로 시작하는 새달 첫날

퇴직하고 두 번째 맞는 달 첫날이다. 오늘은 내가 좋아하는 이해인 수녀님의 '10월의 기도'로 시작하고 싶다. 이해인 수녀님의 시는 쉽지만, 감동이 있고 편하게 읽히지만 울림이 큰 시라 너무 좋다. 마음이 울적할 때 이해인 수녀님의 시를 읽는다. 그러다 보니 나도 어느새 수녀님처럼 읽기 편하고 쉽지만, 감동을 주는 그런 시를 쓰고 싶어졌다. 어려운 시는 아직 능력이 부족하여 쓰지도 못하지만, 시인으로 연륜이 생겨도 가능하면 편안하지만 울림이 있는 시를 쓰고 싶다. 10월에는 하루에 한 번씩 '10월의 기도'를 읽으며 매일매일을 향기 나는 사람으로 살아보려고 한다.

10월의 기도

이해인

언제나 향기로운 사람으로 살게 하소서
좋은 말과 행동으로 본보기가 되는

사람 냄새가 나는 향기를 지니게 하소서
타인에게 마음의 짐이 되는 말로
상처를 주지 않게 하소서
상처를 받았다기보다 상처를 주지는 않았나
먼저 생각하게 하소서

늘 변함없는 사람으로 살게 하소서
살아가며 고통이 따르지만
변함없는 마음으로 한결같은 사람으로
믿음을 줄 수 있는 사람으로 살아가게 하소서

나보다 남을 먼저 생각하게 하시고
마음에 욕심을 품으며 살게 하지 마시고
비워두는 마음 문을 활짝 열게 하시고
남의 말을 끝까지 경청하게 하소서

무슨 일이든 감사하는 마음으로 살게 하소서
아픔이 따르는 삶이라도 그 안에 좋은 것만 생각하게 하시고
건강 주시어 나보다 남을 돌볼 수 있는 능력을 주소서

10월에는 많은 사람을 사랑하며 살아가게 하소서
더욱 넓은 마음으로 서로 도와가며 살게 하소서
조금 넉넉한 인심으로 주위를 돌아볼 수 있는
여유 있는 마음 주소서

이 시에서 가장 좋은 곳에 밑줄을 그으라고 하면 모든 연이 다 좋지만 나는 다섯 번째 연에 밑줄을 긋고 싶다.

「무슨 일이든 감사하는 마음으로 살게 하소서
아픔이 따르는 삶이라도 그 안에 좋은 것만 생각하게 하시고
건강 주시어 나보다 남을 돌볼 수 있는 능력을 주소서」

10월에는 시의 모든 것을 실천하려고 노력하며 살겠지만, 밑줄 그은 다섯 번째 연은 꼭 실천하겠다고 다짐해 본다.

2022년 7월 29일에 문예지 신인문학상 시부분 수상자로 선정되어 등단 시인이 되었다. 심사평을 다음과 같이 말씀해주셨다.

유 시인은 제법 긴 호흡으로 시상을 전개할 줄 아는 시인이다. 시의 호흡이 길다는 것은 그만큼 시적 역량이 있다는 것이다. 여기에 사물의 속성을 파악하고 그것을 노래한 점이 돋보여 등단작으로 선정한다.

등단 시집에 소감문을 보내주라고 해서 소감문도 급하게 작성해서 보냈다.

42년 6개월의 교직 생활을 마무리하고 다시 시작할 제2 인생을

꿈꾸게 되었습니다. 퇴직은 Ending이 아닌 Anding임을 믿기에 새로 시작하는 인생은 글 쓰는 사람이 되고 싶었습니다. 특히 시인이나 동화작가가 되고 싶었는데 시인의 꿈을 먼저 이루었습니다. 그런 저의 꿈을 문학 고을이 이루게 해주어 너무 감사합니다.

천상병 시집 '아름다운 이 세상 소풍 끝내는 날'을 자주 읽는데 천상병 시인의 시는 참 편안합니다. 이해인 수녀님의 시도 좋아합니다. 저도 이렇게 감동은 있지만 편안하고 울림이 있는 시를 쓰고 싶습니다. 가족이 있어 든든하고, 퇴직하며 할 일이 있어 행복한 요즈음입니다.

아직은 많이 부족하지만, 세상을 보는 시야를 넓히고 아름다운 시, 힘이 되는 시를 쓰도록 노력하겠습니다. 제가 시인으로 등단할 수 있도록 응원해준 가족들과 심사위원님께도 감사드립니다..

10월에는 시인 등단 식도 있다. 등단 식이 끝나면 이제 정말 시인이 되었구나 생각될 것 같다. 요즘 시를 쓰고 있다. 아직 많이 서툴지만 모든 것을 마음의 눈으로, 그리고 동심으로 살피려고 노력한다.

10월을 시작하는 오늘, 행복하게 시작할 수 있어 감사하다.
10월이 끝나는 31일에도 오늘처럼 행복했으면 좋겠다.

자식 키우는 마음으로
11년째 난을 키웁니다

지난주부터 꽃봉오리가 수줍은 듯 살짝 맺혀서 우린 난꽃이 피기를 조심스럽게 기다렸다. 어느 해는 꽃봉오리가 꽃을 피우지 못하고 저절로 떨어진 적도 있어서 이번에는 난꽃이 꽃 피우기를 기도하였다. 난꽃이 피면 꼭 좋은 일이 생길 것 같다. 그건 난이 1년에 한 번 정도 어렵게 꽃이 피기 때문에 귀한 꽃으로 여기기 때문이라고 생각한다.

우리 집에서 난을 키우게 된 것은 2011년부터인 것 같다. 김영란법이 생긴 이후부터는 승진해도 난을 보내는 일이 거의 사라졌지만 예전에는 승진이나 영전을 하면 서로 축하해주는 의미로 난 화분을 많이 보냈다. 2011년 9월 1일 자로 교감으로 승진했다. 승진하기 전에 나도 지인이나 선배님들이 승진할 때마다 난 화분을 보내 축하를 해 주었다. 그래서인지 친정 동생들뿐만 아니라 선후배, 친구들, 모셨던 교장, 교감 선생님들께서 많은 축하 화분을 보내 주셨다. 호접란을 비롯하여 동양란, 작은 나무 화분 등 50여 개가 넘게 배달되었다. 교무실이 화원이 되어 3주 정도는 화초 속에, 꽃 속에 묻혀 지냈다. 그러다가 화분은 교직원들에게 나누어 드렸다. 남은 난 화분 몇 개는 집에 가져오고 교무실에도 두고 키웠었다.

서울 교감은 3년 근무하면 다른 학교로 전근 간다. 두 번째 학교로 전근 가는 것은 영전이라고 해서 많은 분이 축하해주신다고 축하 난을 또 보내 주셨다. 우리 집에도 난 화분이 늘어났다.

교장 승진 때는 김영란법이 시행된 이후라 화분을 보내 축하해주는 관행이 사라져서 축하 화분을 아예 받지 않았다. 그래도 이해관계가 없는 친구나 친지 몇 분이 직접 화분을 들고 축하하러 와서 어쩔 수 없이 몇 개만 받았다.

교감, 교장과 교육청 전문직은 매년 3월 1일 자와 9월 1일 자로 인사이동을 한다. 김영란법 시행으로 축하 화분 보내는 관행이 없어져서 너무 깨끗하고 좋았다. 축하 화분만 보내는 것이 아니라 축하 떡도 보내고 우르르 몰려 인사를 하러 다녔던 것도 사라졌다. 발령받은 후에 손님 대접하느라 정신없이 보내는 일도 없어져 바로 업무에 집중할 수 있어서 그 점도 좋았다. 참 잘된 일이라고 생각한다. 물론 난을 가꾸는 화훼 농가나 난을 판매하시는 분들은 많은 어려움을 겪으셨을 것 같다.

이렇게 해서 우리 집에서 난을 키우게 되었다. 처음에는 화분이 많지 않는데 매년 분갈이를 해주며 조금씩 늘려가고 살다 보니 화분이 생기기도 하였다. 남편이 사진작가로 등단하고 매년 동료 사진작가님들과 전시회를 하면 또 난 화분이 생겼다. 함께 운동하시는 남편 동네 친구분이 시의원으로 당선되어 받은 난을 나눠 주셔서 지금은 40개가 넘는다.

　난 화분은 그야말로 자식 키우는 정성으로 키워야 했다. 처음에는 1주일에 한 번 조심조심 화분을 옆 수도가 있는 발코니로 일일이 옮겨 물을 주고 물이 마르면 다시 제자리로 옮기는 일을 몇 년째 하였다. 지금은 새시 공사를 하면서 마루였던 발코니를 타일로 바꾸어 난을 옮기지 않고 물을 줄 수 있어서 좋다. 남편은 늘 기발한 생각을 하여 나를 감동시킨다. 난 화분에 물을 줄 수 있는 두루마리 긴 호수를 어디서 사 왔다. 수도에 연결하여 호수를 길게 잡아당겨 물을 주고 다시 말아 놓으면 발코니도 복잡하지 않아 너무 좋았다. 화분에 물 주는 일이 너무 쉬워졌다.

　발코니에는 난 화분 말고도 군자란 화분 몇 개와 천냥금, 정화식물인 알로카시아 화분 몇 개, 호주 삼나무라고도 하는 아라우카리아, 해피트리, 키 큰 개운죽 등이 있어 손이 많이 간다. 목사님께서 매년 연초에 심방을 오시는데 화분을 누가 관리하냐고 하셨다. 남편이 본인이 난 화분을 관리한다고 해서 옆에서 가만히 있었다. 우리 집 화분은 80%는 내가 관리하고 남편은 시든 잎 정도 다듬어준다.

　화초도 아이들처럼 관심 가져주지 않으면 아파한다. 시들고 누런 잎이 생기고 꽃이 피지 않는다. 우린 출근하기 전에 꼭 발코니에 나가서 아침 인사를 하고 혹시 아픈 아이가 없나 살핀다. 난

뿐만 아니라 다른 화초들도 물도 잘 주고 햇볕도 쬐어 주어야 하지만 키워보니 통풍도 아주 중요한 것 같다. 사람들도 시원한 바람을 좋아하듯 화초도 바람을 좋아하는 것 같다.

매년 2월 말에는 난 화분 분갈이를 해 준다. 1년 동안 많이 자란 뿌리를 잘라주고 새로운 난석도 섞어 준다. 마른 줄기와 뿌리도 잘라주고 촉이 많은 화분은 나누어 다른 화분에 옮겨 심는다. 그러면 봄부터 새로운 싹을 탄생시켜 화분이 더 풍성해진다. 이렇게 매년 반복하여 난을 가꾼 지 벌써 11년이 넘었다. 지금은 거의 죽지 않고 잘 가꾸게 되어 우리 집을 방문하는 분들은 먼저 발코니 난 화분에 감탄한다. 어떻게 직장 다니면서 화분을 이렇게 많이 잘 키우시냐고 한다. 답은 '정성만 있으면 된다'이다. 자식 사랑하는 마음처럼 식물에도 사랑을 주고 비생물적 요소인 햇빛, 물, 바람(공기), 흙, 온도 등을 잘 조절해 주면 식물을 잘 키울 수 있다고 생각한다.

올가을 세엽혜란 꽃이 피어 너무 좋다. 황금 소심은 그래도 매년 한 번씩 잘 피는 꽃이지만 세엽혜란이 올해처럼 싱싱하게 핀 경우는 드물기에 우리 집에 좋은 일이 생기길 기대해 본다. 어쩌면 벌써 행운을 가져다준 것 같기도 하다.

퇴직하고 시간이 많아 화분과 대화하는 시간도 많아졌다. 혼자 있을 때 친구도 되어 주고 심심하지 않도록 소일거리도 만들어 준다. 발코니 테이블에 앉아 책도 읽고 커피도 마실 수 있는 카페도 되어 준다.

식물은 맑은 날 오전에 물을 주는 것이 좋다고 한다. 그래서 퇴직한 후에는 식물이 좋아하는 아침에 햇빛을 받으며 물을 마실 수 있도록 햇빛 좋은 날 오전에 물을 주고 있다.

난 키우기는 특별하게 힘들지 않다. 여름에는 1주일에 한 번 정도 물을 주고 겨울에는 2주에 한 번 정도 물을 주면 된다. 1년에 한 번 정도 화분 갈이를 해주고 발코니 문을 열어 바람도 쐬어 주고 햇볕도 쐬어 준다. 마른 잎이 있으면 떼어주면 더 싱싱해 보인다. 사람들도 부족한 영양제를 먹듯이 식물도 1년에 한두 번 영양제를 주는 것도 화분을 잘 관리하는 방법이다. 추위를 많이 타지 않아서 겨울에도 거실에 들여놓을 필요가 없다. 추운 곳에서 자라다가 어느 날 보면 꽃대가 쑥 올라오기도 해서 신기하다.

자식 키우는 마음으로 난을 키우며 요즘 행복하다. 그저 바라보기만 해도 흐뭇하다. 이제 다른 아이들에게서도 꽃대가 올라오기를 기다리며 오늘도 정성을 다한다.

내 꿈의 시작,
초4 선생님이 읽어주신 책 한 권

요즘 꿈에 대한 글을 많이 쓴다. 지난번 시 한 편을 쓰고 보니 조금 부족함이 느껴져서 2탄으로 내가 선생님의 꿈을 이룬 이야기를 좀 더 자세히 쓰기로 했다. 지금 나는 서울교대를 졸업한 후 42년 6개월의 교직 생활을 마치고 자유인이 되었다. 퇴직하고 보니 선생님이 더욱 그립다.

전정숙 선생님,

생각만 해도 그립고 고마우신 선생님이다. 꿈이 무엇인지 모르던 나에게 선생님의 꿈을 갖게 해주신 분이 바로 전정숙 선생님이다. 전정숙 선생님은 초등학교 4학년 때 담임선생님이셨다. 나는 아주 두메산골인 강원도 홍천군 내촌면에 있는 당무초등학교에서 3학년까지 다녔다. 당무초등학교는 아주 작은 학교로 1, 4학년, 2, 5학년, 3, 6학년이 한 교실에서 공부하는 복식학급이었다. 3년 동안 팔이 하나밖에 없으신 상이군인이셨던 남자 선생님께서 담임이셨는데 아버지의 전근으로 4학년 초에 같은 강원도 홍천군 남면에 있는 매산초등학교로 전학을 가게 되었다. 매산초등학교는 당무초등학교보다는 조금 큰 학교로 4학년부터는 남자반과 여자반으로 나누어져서 학년별로 2개 학급이 있었다. 1반은 남자 선생님이 담임교사였고 여자반인 2반은 바로 전정숙 선생님이 담임선생님이셨다. 지금 생각해 보면 춘천교대를 졸업하신 경력이 얼마 안 되신 처녀 선생님이셨던 것 같다.

선생님 댁이 춘천 시내였던 것 같고 지금 기억에 부모님께서 동파 상회라는 가게를 하셨던 것 같다. 미술 시간에 마을 꾸미기를 하였을 때 우리가 가게 이름에 동파 상회란 이름도 붙여 놓았던 기억이 난다. 그만큼 전정숙 선생님은 많은 이야기를 들려주시는 친근한 선생님이셨다. 어느 날 휴일이 지나고 댁에 다녀오신 선생님께서 동화책 한 권을 들고 있었다. 그 당시는 동화책이 많지 않아서 책 읽을 기회가 아주 적었다. 선생님께서 가지고 오신 동화책을 읽어주셨는데 그 책이 바로 '헬렌 켈러' 위인전이었다. 난 선생님께서 들려주시던 '헬렌 켈러'에 빠져 버렸다. 정말 초롱초롱한 눈으로 잠시 눈을 떼지도 못하고 이야기를 들었던 것 같다.

그날 나는

'이다음에 설리번 선생님 같은, 우리 전정숙 선생님 같은 좋은 선생님이 되어야지'

하고 다짐하였다.

그 꿈은 너무 강력해서 시간이 지나도 계속 나의 꿈이 되었다.

4학년 말에 우린 부모님을 모시고 학급 학예발표회를 하였다. 작은 시골이었지만 부모님들께서 바쁜 일손을 잠시 놓으시고 학교에 오셔서 우리들의 발표를 감상하셨다. 우리 교실에서 발표한 정말 별 볼 일 없는 학예발표회였지만, 학부모님께서 정말 많은 박수를 주셨고 칭찬을 해 주셨다. 그날 난 '걸레'라는 국어책에 있는 연극에서 주인공은 아니었지만, 순이 역할을 하였다. 또 레이스가 달린 공주풍 치마를 입고 당시 유행하였던 트위스트 춤을 추었다. 수줍음이 많던 나여서 매우 부끄러웠지만, 연습하는 동안 선생님의 따뜻한 격려 덕분에 그날 발표를 무사히 마칠 수가 있었다. 오랜 시간이 지났지만, 그날의 아름다운 추억은 지금도 생생하다.

우리가 선생님을 얼마나 좋아했는지는 다음 사건을 보면 알 수 있다. 4학년을 너무나 행복하게 마치고 우린 5학년이 되었다. 그런데 너무 슬픈 것은 선생님께서 홍천군 홍천읍 시내에 있는 홍천초등학교로 전근 가시게 되었다. 우린 선생님과 헤어지면서 많이 울었다. 5학년 때는 남자 선생님께서 담임을 맡으셨는데 전정숙 선생님을 그리워하여 그리 즐겁지 않았던 것 같다.

당시 철이 없었던 우리 3명의 친구는 홍천으로 선생님을 찾아가기로 했다. 겁도 없이 여자아이 세 명이 20여 리를 걸어가서 홍천 가는 버스를 타고 홍천초등학교를 찾아갔다. 지금 생각하면 어처구니가 없는 행동이었다. 일요일에 학교를 찾아가도 선생님께서 출근하지 않는다는 사실을 인지하지 못했었다. 막상 물어물어 학교를 찾아갔지만, 선생님을 만날 수가 없어서 우린 터벅터벅 힘없이 돌아오게 되었다. 지금처럼 휴대전화가 있어 미리 연락을 드리고 만날 장소와 시간을 약속하면 되었지만, 그때는 연락할 방법이 편지밖에 없었다. 선생님 보고 싶은 마음에 연락도 안 드리고 학교에 가면 선생님을 만날 수 있다는 생각 하나로 무작정 찾아갔었다.

선생님을 늘 그리워하면서도 그 이후에 난 선생님을 한 번도 뵙지 못하였다. 5학년을 그곳에서 마치고 부모님께서 저의 앞날을 걱정하셔서 6학년 때 외가가 있는 강릉으로 전학을 보내서 고등학교 졸업할 때까지 강릉에서 생활하였다. 마음속으로는 늘 내 마음의 선생님인 전정숙 선생님을 그리워하면서도 찾아뵙지 못해 너무나 아쉽고 죄송하다. 지금은 80을 넘기셨을 나이인데 지금이라도 만나면 지금 저를 이 자리에 있게 해주신 은혜에 대한 감사한 마음을 전해드리고 싶다.

선생님, 건강하시지요? 정말 보고 싶습니다. 저는 정말 좋은 교사로, 교감으로, 교장으로 정년퇴직을 하고 잘 지내고 있습니다. 선생님 같은, 설리번 선생님 같은 좋은 선생님이 되려고 항상 노력하였습니다. 지금 이 자리에 저를 있게 해주신 분이 선생님이십니다. 진심으로 감사드립니다.

경로석에 앉을까 말까

우리나라는 만 65세 이상을 노인으로 규정한다. 만 65세가 되면 받는 혜택도 여러 가지이다. 우선 KTX, 기차, 비행기 탑승 시 할인을 받고 지하철이 무료이다. 임플란트와 틀니를 맞출 때 2개까지 70% 정도 지원을 받는다. 폐렴 예방접종과 독감 백신 접종도 무료다. 대상포진 접종 비용도 지원받고 고궁, 박물관 등도 무료 이용이다. 그 외에도 많은 혜택이 있다고 한다. 우리나라는 노인 복지가 잘 되어 노인이 되면 혜택이 정말 많다. 그렇지만 혜택 때문에 빨리 노인이 되고 싶은 사람은 없을 거다. 나도 그렇다.

코로나19로 인해 2020년과 21년은 주로 승용차로 출퇴근하였다. 대중교통을 이용하다가 혹시라도 감염되면 어쩌나 하는 불안감 때문이다. 내가 감염되는 것은 괜찮지만, 다른 사람에게 폐 끼치는 일이 될 수 있어서이다. 하지만 그런 생각이 기우라는 것을 알기에 요즘 지하철을 자주 이용한다. 올해도 4월까지는 주로 승용차로 출근하였다. 그런대로 출근할 만했다. 재택근무하는 사람이 많아서 길이 덜 막힌다고 생각하였다. 그러다가 재택근무가 줄어들면서 출근 시간대 올림픽대로는 거의 주차장이다. 어떤 날은 차가 너무 막혀서 9시 가까이 되어 도착하였다. 완전히 지각이었다. 안 되겠다 싶어서 지하철을 타기 시작했다.

퇴직 전에 남편과 같이 지하철을 타고 출근하였다. 길도 막히지만, 나잇살인지 살이 자꾸 찌는 것 같아 옷 입을 때 너무 불편하였다. 딱히 하는 운동이 없어서 출퇴근 시간만이라도 좀 걸으면 살이 빠지지 않을까 하는 생각이다. 늘 몸무게에 신경을 쓰는 편이라 욕실 앞에 체중계를 두고 매일 체중을 체크하는데 잴 때마다 자꾸 몸무게가 올라간다. 안 되겠다 싶어 저녁 식사 양도 조금 줄이려고 노력했지만, 영 몸무게가 줄지 않았다. 그래서 지하철로 출퇴근하는 방법을 실천해 보기로 하였다.

집에서 7시 10분경에 출발하면 검암역에서 7시 40분에 출발하는 공항철도가 있어서 앞차를 보내고 그 열차를 탄다. 문이 열림과 동시에 경로석 쪽으로 간다. 일반석은 젊은 사람들이 밀치고 들어가서 의자에 앉을 생각조차 못 한다. 남편은 흰머리가 많고 65세도 넘었기에 경로석에 앉아도 이상할 것이 하나도 없어서 나도 그 옆에 앉아 간다. 하지만 자꾸 주위를 두리번거리게 된다. 혹시라도 다리 아프신 어르신이 계신 건 아닌가 해서다. 하지만 경로석 앞쪽까지 젊은 사람들이 밀고 들어와서 내 부끄러움을 조금 가려 주어 안심이 된다.

잠시 눈을 감고 다음 역까지 간다. 정말 사람이 많이 탄다. 밀치고 밀려서 발 디딜 틈조차 없다. 가끔 내 앞에 어르신이 서 계시면 얼른 일어나 자리를 양보하기도 하지만, 대부분 내릴 역까지 앉아서 간다. 그러나 아직은 내가 경로석에 앉아도 되는지 죄송한 마음이 든다. 아직 만 65세가 안 넘었기 때문이다.

아침 김포공항 9호선 급행 지하철 풍경이다. 타본 사람은 다 알겠지만, 너무 만원이다. 네 줄로 서서 지하철을 기다리며 대부분 스마트 폰을 보고 있다. 지하철이 다가오는 소리가 들리면 출입문 쪽으로 이동해 다닥다닥 붙어 의자 경쟁이 시작된다. 멀리 강남까지 가려니 앉아서 가고 싶겠지. 나는 감히 그 대열에 낄 생각을 하지 못한다. 그러다가 비어 있는 경로석이 눈에 들어온다. 앉을까 말까 갈등한다.

오십 대 후반까지도 경로석이 비어 있어도 앉을 생각을 하지 못했다. 왠지 사람들이 이상하게 볼 것 같아서이다. 그 따가운 시선을 피할 용기가 없었다. 그리고 내가 교육자인데 그러면 안 된다고 생각하고 다리가 아파도 참았다. 요즘 지하철을 타면 나도 모르게 경로석이 비어 있는지를 먼저 살핀다. 낮에는 비어 있어도 앉지 않는다. 낮에는 어르신들이 많이 이용하기 때문이고 왠지 아직 경로석에 앉기엔 다른 사람이 볼 때 젊다고 생각할 것 같아서이다. 예순이 넘어서면서부터 앉을까 말까 고민하다가 경로석이 많이 비어 있으면 가끔 앉게 된다. 출퇴근할 때만 앉는다. 그 시간 때는 어르신들이 많지 않을 거로 생각해서이다. 이건 어쩜 내 합리화인지도 모르겠다.

예전에 이런 생각을 하였다. 어르신들이 일반석에 앉으시면
'경로석이 비어 있는데 경로석에 앉으시면 일반석에 한 명 더 앉

을 수 있을 텐데.'

그런 마음이다. 나름 배려라고 할까? 물론 이것도 내 합리화이다.

한 달 반 정도 지하철로 출퇴근한 후 체지방이 조금 빠지는 느낌이다. 아직 만족할 만큼 빠지진 않았지만, 그래도 도움이 되었다. 처음 목표가 3킬로 감량이었는데 반 정도는 빠진 것 같다. 아주 뚱뚱한 편은 아니지만, 평소의 몸무게로 돌아가야 입던 옷도 편하게 입을 수 있다. 나이가 들면 몸에 딱 맞는 옷은 불편해져서 작은 옷은 안 입게 된다. 그래서 자꾸 편한 옷만 입다 보니 체중도 불어나는 게 아닌가 싶다. 오늘은 모처럼 맞는 원피스를 입고 출근하였다. 살이 조금 빠졌기에 가능하다.

퇴직하고 서울 나갈 때 지하철을 탄다. 아침 출근 시간은 아니지만 비어 있는 자리는 별로 없다. 그럴 때마다 자꾸 경로석으로 눈이 간다. 만 나이는 아니지만, 실제 한국 나이로는 경로석에 앉아도 되는 나이가 되었다. 요즘도 지하철을 타면 경로석에 앉을까 말까 고민한다.

서 있으면 몸이 힘들고 경로석에 앉으면 마음이 불편하기에 내 갈등은 계속되리라.

곧,
20년 전 몸무게로 돌아갈 것 같습니다

　퇴직 전에 온전한 2~3kg만 빠졌으면 좋겠다고 생각했다. 많이 뚱뚱한 편은 아니지만 나만 아는 속살이 자꾸 쪄서 그게 스트레스가 되었다. 출근하려고 바지를 입으면 허리가 잠기지 않아 다른 옷으로 갈아입기도 하고, 원피스를 입으면 허리가 조여서 다시 헐렁한 원피스로 갈아입기도 하였다.

　20대엔 43~44kg 정도였다. 그땐 너무 말라서 기운이 없어 특히 여름이면 가끔 수액을 맞아야 했다. 30대엔 아들 둘을 출산하였지만, 여름에는 46kg, 겨울에는 47~48kg을 늘 유지했다. 55 크기를 편하게 입을 수 있는 몸무게다. 나잇살이 있는 건 확실하다. 40대가 되면서 50kg이 넘어갔지만 51kg 정도라 아직은 55를 입는 데 문제가 없었다. 그런데 50대가 되더니 53kg이 되었고 회식이 많을 때는 가끔 56kg까지 올라갈 때가 있었다. 55 크기에서 점점 멀어져서 66 크기가 편한 몸무게가 되었다. 40대 때도 나름 날씬하다고 생각했는데 연수에서 2, 30대에 같이

근무했던 선생님을 만나면

"살 많이 찌셨네요."

라고 하였다. 2, 30대 땐 많이 날씬했던 것 같다.

교장이 되고 앉아 있는 시간이 많았고 승용차로 출퇴근하다 보니 내 인생에서 가장 무거운 몸이 되었다. 늘 운동해야지 생각은 하는데 몸이 피곤하니 시간 내서 운동도 하지 못했다.

다른 분들은

"살 안 찌셨는데요, 날씬하세요""

라고 말씀하시지만 그건 모르는 말씀이다. 회식이라도 하고 오는 날엔 체중계 숫자가 놀리듯 하염없이 올라가서 그다음 날엔 저녁을 굶었다. 그러면 아주 조금 몸무게가 줄어들었지만, 올랐다 내리기를 반복하였다. 쉬울 것 같은 온전한 2~3kg은 나를 비웃듯 멀어졌다.

나이가 들면 밥심으로 산다고 한다. 뭘 먹든지 세 끼는 꼭 먹어야 한다. 커피랑 빵을, 때론 떡으로 아침을 간단히 먹고 출근하면 급식은 꼭 먹어야 했다. 급식은 너무 맛있기도 하지만, 아이들에게 남기지 말고 골고루 잘 먹으라고 하면서 교장인 내가 남길 수 없어서 대부분 깨끗하게 남기지 않고 다 먹었다. 그 사이사이에 가끔 간식을 먹기도 했다. 우리 집은 남편과 먹는 식사는 저녁뿐이라서 저녁을 잘 차려 먹는 편이다. 그러다 보니 저녁을 많이 먹게 되어 살이 더 안 빠지는 것 같았다.

8월 말에 퇴직하고 집에 혼자 있다 보니 운동도 내 마음대로, 식사도 내 마음대로 할 수 있었다. 아침은 간단하게 먹었다. 퇴직 전에도 간단하게 먹었기에 아침은 똑같다. 대신 오전에 공원에 가서 6,000~7,000보 정도를 걷고 공복시간을 늘리려고 1시 30분경에 점심은 과일과 약간의 간식으로 때웠다. 커피도 아침에 한 잔만 마셨다.

저녁은 남편과 같이 꼭 밥을 먹었지만, 고기 먹는 날은 밥보다는 고기와 샐러드를 먹었다. 정말 몇 년 동안 노래 불렀던 온전한 2kg이 빠졌다. 요즘 식사해도 53kg을 넘지 않고 52kg 아래로 내려가기도 한다. 평균 52kg이다. 드디어 해냈다. 요즘 꽉 끼던 바지도 쑤욱 들어가고 못 입던 원피스도 입을 수 있게 되었다.

나의 온전한 2kg 살 빼기 프로젝트는 이렇다.

7, 8월에 장 클린 건강 보조식품을 사서 두 달 정도 복용하고 변비를 잡았고, 8월 16일에 장내시경을 한 이후부터 체지방이 조금 빠진 것 같다. 잠자기 전에 매일 10분 정도 스트레칭을 하고, 기상하면 침대에서 5분 정도 스트레칭으로 아침을 깨운다. 오전에 근린공원에 가서 6,000보 정도 걸었다. 저녁 먹은 후에는 절대로 야식, 간식을 먹지 않았고 12시간 이상 공복을 유지하였다. 아침 식사는 8시경에 먹고 점심은 1시 30분 이후에 먹어 5시간 이상 공복 상태를 유지하였다. 점심은 간단히 먹었지만, 과일을 곁들여 먹기도 하였다.

루테인과 종합비타민, 비타민 C는 오전에 복용하고, 오메가 3는 저녁에 복용하였다. 전문가가 아니라서 건강 보조식품 복용 방법이 맞는 건지는 모르지만, 한 번에 다 먹지 않고 나누어서 복용하였다.

몸무게는 조금 빠졌지만, 나이 들면 근육량을 늘려야 한다고 한다. 내가 생각해도 난 물살이고 근육이 너무 없다. 가끔 조미료통을 못 열어 남편에게 한 소리 듣는다. 힘이 왜 그렇게 없냐고 한다. 그래서 근육을 늘려야겠다고 생각하고 있던 차에 교회 젊은 집사님께서 여성 전용 헬스장을 운영한다는 소식을 듣게 되었다.

'바로 이거야!'

그동안 헬스장에 가본 적이 없다.

헬스장은 집에서 5분 거리에 있어 가까워서 좋았다. 헬스장 문을 열며 너무 떨렸다. 나이 많은 사람도 이용 가능할지 몰라서다. 헬스장은 보기에도 너무 깔끔하였다.

'그래, 첫인상은 합격이야.'

이곳에서 꼭 운동하고 싶었다. 상호명도 '리:본-다시 태어나다'이다. 여기서 운동하면 왠지 젊음도 찾을 수 있을 것 같았다. 강사님과 상담할 때 내가 허리 협착증이 있어 조금 안 좋고 유연성도 없고 근육량도 너무 적다고 말씀드렸다. 괜찮다고 한다.

생애 처음으로 헬스장 3개월을 끊었다. 아무래도 처음이라 무리하면 안 될 것 같아 일반 운동 코스로 선택하였다. 먼저 인바디 검사를 하였다. 아니나 다를까 체중은 괜찮은데 근육량이랑 기초대사량이 현저히 떨어졌다. 물론 대부분의 중년 여성처럼 복부 지방도 표준 이상이다. 매일 오후 3시경에 운동하기로 하였다. 무리하지 않는 범위에서 잘 지도해준다고 했다. 이왕 운동하는 거 복장도 갖추면 좋을 것 같아 가까운 스포츠 매장에 가서 운동복도 하나 샀다.

내가 운동하는 모습을 상상해 본다. 잘할 수 있을지 약간 걱정도 되지만 신난다.

헬스장 첫날은 맛보기로 운동하는 순서를 배웠다. 먼저 혼자 준비운동하는 방법을 익혔고 14가지 기구를 어떻게 운동하고 순환하는지를 배웠다. 14가지 기구를 30분 동안 순환하며 근력운동을 하고 나면 강사님 지도로 여러 가지 동작의 추가 운동을 30분 정도 하는데 요일별로 다른 운동이라고 한다. 30분 추가 운동을 하는 동안 땀이 흘러서 눈이 아렸다. 아무래도 땀을 막아주는 헤어밴드도 하나 사야겠다. 그동안 아침, 저녁으로 조금씩 했던 스트레칭 덕분에 몸이 조금 유연해져서 운동하는 데 도움되었다. 처음부터 운동을 너무 많이 하면 안 쓰던 근육을 사용하기에 다음 날 힘들 것 같아 오늘은 약하게 운동하였다.

매일 1시간 정도 반복하다 보면 기구 사용하는 것도 익숙해지고 잘 따라 하겠지. 오늘은 헬스장에 내 인생 처음으로 간 날이라 매우 어색했지만, 곧 익숙해지리라 믿는다. 운동하는 분들도 나이가 다양해서 나이 들었다고 주눅들 필요는 없을 것 같다. 그건 다행이었다. 토요일도 운영하지만, 주말은 쉬고 주 3~4일 정도 하려고 한다. 운동은 꾸준하게 해야지 하다가 중지하면 안 한 것만 못하리라.

예전에 아들이나 남편이 헬스장 3개월, 6개월을 싸다고 끊은 후에 한 달 이상 계속 운동하는 것을 보지 못했다. 싸다고 3, 6개월로 끊었지만, 한 달도 안 가고 헬스장과 작별하는 것을 자주 봐서 나도 그럴까 봐 걱정이다. 나는 절대로 중간에 그만두지 않으리라 다짐해 본다.

곧, 20년 전 몸무게 50~51kg으로 돌아갈 수 있을 것 같다. 그리고 근력도 많아져서 허리 아픈 것도 좋아지고, 조미료통도 거뜬하게 딸 수 있기를 기대해 본다.

나는 한번 결심하면 꼭 하는 사람이니까.

나는 나를 믿는다.

대화,
대놓고 화내는 것일까

　얼마 전에 퇴직을 축하해주려고 지인 세 분이 우리 집을 방문했다. 모임 날에 내가 집 근처에서 오후 1시까지 일이 좀 있어서 서울 나가려면 시간이 오래 걸려 우리 집 근처에서 좀 늦은 점심을 먹기로 하였다. 이 모임은 15년 전 서울등원초등학교에 근무할 때 2학년 같은 학년을 함께 했던 선생님들인데 나보다 먼저 모두 명예퇴직을 하고 자연인이 된 선생님들이다. 한 명은 선배님이고 한 명은 교대 동기, 그리고 총무를 맡은 두 살 아래 후배이다.

　미리 말씀드리지 않았지만, 우리 집 가까운 곳에서 식사하게 되어 식사 후에 별 약속 없으면 우리 집에 와서 차 한잔하고 가면 좋을 것 같았다. 우리 집에 처음 오는 분들이라 차와 약간의 간식을 준비하고 부엌 쪽 몇 군데 눈에 띄는 곳을 정리하였다. 워낙 싱크대 위쪽에 주방 기구가 나오는 것을 싫어하는 성격이라 크게 치울 것은 없었지만 아일랜드 위에 놓여 있는 약봉지, 티슈 등을 깨끗하게 정리하였다. 주방과 연결된 뒤쪽 발코니에 있는 건조기 위가 너무 지저분해 보여 물건 몇 개를 다른 곳으로 옮겼다.

점심은 우리 동네에서 조금 유명한 막국수 집에서 보쌈과 메밀부침, 그리고 막국수를 맛있게 먹었다. 그 식당은 후식을 주지 않는다. 흔한 커피 자판기도 없고 에어컨도 없는 식당이다. 예약도 받지 않지만, 주변 분위기가 좋아서인지 점심시간에는 주차장이 늘 붐빈다. 선생님들이 오후에 약속이 없다고 해서 우리 집에 와서 과일과 차로 후식을 대신했다. 만남에는 여러 종류가 있지만 언제 만나도 가장 편한 모임이다.

퇴직을 축하한다고 예쁜 안시리움 화분을 총무인 막내가 들고 왔다. 퇴직하고 한 달이 넘게 지났는데 그냥 와도 되는데 무척 고마웠다. 한 분은 서울 아파트는 딸에게 맡기고 시부모님이 사시던 시골집을 리모델링하여 남편분과 시골살이를 하신다. 그래서 모임 날짜도 그분이 서울 올라오시는 날쯤으로 잡는다. 이런저런 이야기로 시간 가는 줄 몰랐다. 마침 퇴직 기념품이 몇 개 남아 있어 드렸더니 좋아하셨다. 퇴직 기념품은 며느리 둘이서 선생님들이 방학에 여행을 많이 다닌다고 마련해 준 여행 파우치였는데 다행히 다음 주에 서유럽으로 여행 가시는 분이 있어 드리는 나도 너무 좋았다.

모임 선생님들이 가시고 뒷정리를 하고 있는데 남편이 퇴근했다. 축하 화분을 자랑하며 저녁 준비를 하는데 주방 뒤 발코니에서 큰소리가 났다. 찾는 물건이 없다고 그런다. 그러며

"손님 온다고 쓸데없이 치우고 그러는 것은 가증스러운 일이다."

라고 하며 사람 사는 게 다 그렇지, 평소대로 보여주어야지 치우고 난리라며 대놓고 화를 낸다.

대화가 대놓고 화내는 거라더니 꼭 이런 상황을 두고 하는 말 같았다.

없어진 물건 갖다 달라고 좋게 말하면 내가 바로 갖다줄 텐데 나도 갑자기 화가 났다. 오늘 좋았던 기분이 한순간에 무너졌다.

현직에 있을 때 선생님과 학부모님 대상으로 '자녀와 소통하는 행복한 대화법-코칭 스킬'에 대한 강의를 하였다. 그때 주된 내용이 '적극적 경청, 토머스 고든의 나 전달법 그리고 칭찬과 인정'이었다. 대화의 기본을 잘 알고 있음에도 나도 말이 좋게 나가지 않았다.

드라마를 시청하며

'저 사람은 왜 저렇게 말을 하지. 저 사람은 화내는 것 말고는 할 수 있는 말이 없네. 화내지 않아도 되는데 정말 이해할 수가 없다.'

'저럴 때는 이렇게 말해야 상대방이 속상하지 않을 텐데.'

하며 드라마 대사를 평가하곤 했었다.

나는 정말 화를 잘 안 내는 편이다. 학교에 근무하면서 함께 근무하는 교직원에게 화를 낸 적이 없다. 집에서도 아들이나 며느리에게도 화를 안 낸다. 유일하게 화를 내는 상대가 남편이다. 남편은 집안일도 잘 도와주고 아이들에게도 잘하는데 가끔 말 한마디 때문에 쌓아둔 점수를 한꺼번에 잃는 그런 사람이다. 내가 먼저 화낸 적은 거의 없다. 남편이 욱하는 성격에 항상 먼저 화를 내기 때문에 대화가 안 될 때 같이 화를 내게 된다. 오늘도 그냥 찾는 물건

달라고 하면 바로 찾아 줄 텐데 소리부터 지르니 나도 모르게 같이 화를 낸 거다. 하지만 남편은 뒤끝은 없어 얼마 못 가서 사과하고 화해한다. 그건 다행이다.

드라마나 영화, 글에서 갈등이 없으면 재미가 없다. 갈등은 칡 갈(葛), 등나무 등(藤)자가 만나 만들어졌다.

둘 다 나무를 감고 올라가며 생존하는데 등나무는 오른쪽으로만 감아 올라가는 성질이 있고 칡은 왼쪽으로만 감아 올라간다. 그래서 칡과 등나무는 꼬일 수밖에 없다. 꼬인 매듭을 풀려면 너무 어렵다. 인간사에서도 갈등이 생기면 해결하기가 어렵다. 갈등은 대부분 큰일이 아닌 정말 사소한 말 한마디로 생길 수 있어서 대화법이 중요하다고 생각한다. 드라마나 소설에서는 갈등으로 인해 보고 읽는 재미가 더해지지만, 일상에서의 갈등은 사람과 사람 사이를 멀어지게 하고 더 심할 때는 아예 인연을 끊는 일도 생긴다.

직장 동료 사이, 친구 사이나 부부 사이, 부모 자녀 사이에서 대화법을 익혀 갈등이 생기지 않기를 바란다. 토머스 고든의 나 전달법(I message)은 이미 많이 알려져서 검색만 하면 쉽게 배울 수 있다.

이런 일이 또 생기면 화내지 말고 남편에게
"그렇게 갑자기 화를 내면 나도 매우 속상해요. 다음에는 화내지 말고 그냥 필요한 거 찾아달라고 하면 좋겠어요."
부드럽게 말하려고 한다.

아는 것이 많으면 무슨 소용 있어. 실행에 옮겨야지. 구슬이 서 말이라도 꿰어야 보배지. 남은 인생 알콩달콩 살아도 짧은 세월인데 아웅다웅 살 필요 없다는 것을 오늘 한 번 더 마음에 새겨본다.

대화는 대놓고 화내는 것이 아닌 기분 좋게 주고받는 말임을 항상 기억하고 말로 인해 상처를 주고 상처받는 일이 없도록 서로 노력해야겠다.

치과 가긴 정말 싫어

지난주에 자주 가는 치과에 예약하고 다녀왔다. 지난번 건강 검진 할 때 치과 진료도 받았었는데 아무 이상이 없었다. 이번에는 그냥 6개월마다 가는 정기 검진이라고 생각하고 가벼운 마음으로 치과에 들어섰다. 치과 상호가 바뀌었다. 지난번 치과 원장님은 젊은 남자 분이셨는데 정말 친절하고 편하게 치료를 잘해주셔서 우리 가족은 모두 이 치과를 이용하고 있다. 이번에는 여자 선생님이셨다. 치아 를 살피시던 선생님께서 왼쪽 위 어금니 하나에 충치가 생긴 것 같 다고 한다. 때운 금이 오래되어 살짝 들떠서 그 사이로 충치가 생 긴 것 같다고 하셨다. 특별히 이가 시리거나 아프지 않아서 몰랐다. 이번 원장님도 꼼꼼하신 것 같아 마음이 놓였다.

나는 40대 중반부터 정말 열심히 치과에 다녔다. 어릴 때 시 골에서 자라다 보니 치과 갈 생각을 하지 못하다가 어른이 되어 서야 치과를 찾게 되어 치료할 이가 많았다. 치아는 죽을 때까 지 써야 하기에 나이 들기 전에 완벽하게 치료해야겠다고 생각 했었다. 젊었을 때 충치 때문에 메꾸었던 거무스레한 아말감을 다 제거하고 금으로 다시 메꿨다. 돈도 많이 들었지만 치료하는 과정이 너무 힘들어 턱관절이 생겼다. 가끔 음식을 씹다가 뚜걱~하고 관절이 어긋나면 너무 아파 식사도 못한다. 턱관절은 치과에 가도 뾰족한 수가 없다. 즉 완치가 어렵다. 그냥 평상시 생활 습관을 고쳐야 한다.

그 이후로는 6개월에 한 번씩 치과에 가서 정기 검진으로 스케일링도 하고 혹시 치료해야 할 치아가 있으면 치료했다. 나는 양치질을 할 때 너무 힘을 주고 닦아서 이 뿌리 쪽이 파인 곳이 있어 파인 부분을 메꾼 이도 많다. 누가 O형 아니랄까 봐 힘주어 급하게 양치질을 한 탓이다. 조심해서 살살 닦으려고 해도 그게 잘 안된다. 이번에도 원장님이 양치질할 때 너무 세게 닦지 말라고 하셨다.

어금니에 생긴 충치 치료를 하려면 씌운 금을 제거하고 신경치료도 3회 정도 해야 한다고 했다. 신경치료는 해본 적이 없다. 실장님에게 신경치료 방법을 설명 듣는데 걱정이 많이 되었다. 신경을 제거하고 빈 공간을 치과용 물질로 채우는 과정을 1주일 단위로 세 번을 해야 하는데 마취하고 3, 40분 정도 소요된다고 했다. 그 어려운 걸 세 번이나 해야 한다.

치과에서 가장 싫은 것은 마취할 때 잇몸에 마취 주사를 양쪽으로 한 번씩 두 번 주사하는데 주사 맞을 때도 너무 아프지만 마취하고 감각이 없는 느낌도 너무 싫다. 충치는 왜 생겨서 이 고생을 해야 하나 생각하니 화가 났다. 치간칫솔도 꼭 사용하고 워터픽도 사용하고 저녁에 양치질 이후에는 절대로 먹지 않는데 충치가 생겨 또 고생할 생각을 하니 괜히 짜증이 났다.

치아는 지르코니아라고 치아 색과 같은 걸로 씌우기로 하고 오늘 온 김에 1차 치료에 들어갔다. 치과에 오면 오십만 원은 가벼운 금액이다. 충치가 하나라 다행이라고 해야 할까. 씌워져 있는 금을 제거하고 충치 치료를 했는데 원장님께서 어쩜 신경치료는 안 할 수도 있을 것 같다고 하셨다. 떼어낸 금은 작았지만, 비닐에 넣어주어서 가지고 왔다.

임시 치아를 하고 일주일 지내는 동안 아프거나 시리지만 않으면 신경치료를 안 할 수도 있다는 말에

'제발, 그렇게 되길 기도합니다.'

나도 몰래 기도가 나왔다. 정말 신경치료는 안 하길 바라며 치료를 마쳤다. 치과에서 치료하느라 두 시간이나 걸렸다. 1주일 뒤로 예약하고 돌아오는 데 힘이 다 빠졌다. 치과는 정말 가기 싫다. 그래도 100살까지 써야 하기에 힘들어도 참아야겠지 스스로 위로해 본다.

지난달도 퇴직하고 대부분의 지출이 의료비였는데 치과 치료로 큰돈이 또 들어가게 되었다. 치과는 실비 보험도 안 되어 그대로 지출해야 한다. 연금으로 생활해야 해서 절약하며 생활하려고 마음먹지만, 식료품비나 옷값 등과 다르게 병원비는 내 의지로 할 수 있는 일이 아니라 어쩔 수 없다. 건강을 잘 챙겨야겠다.

1주일이 지나고 예약한 날에 다시 치과를 찾았다. 임시 치아한 곳은 다행스럽게 시거나 아프지 않았다. 신경치료는 안 해도 된다고 했다. 휴우, 너무 다행이다. 씌울 치아 본을 뜨고 다음에

진료할 날을 예약하고 돌아왔다.

치과 진료는 너무 힘들다. 나이 들면 임플란트도 할 수 있고 틀니도 할 수 있겠지만, 치과는 정말 가기 싫다. 정기 검진은 6개월마다 꼬박꼬박 받고 앞으로 더 이상 치료할 치아가 생기지 않기를 기대해 본다. 이제부터 양치질도 더 신경 써서 하고 치실, 치간칫솔, 워터픽도 꼼꼼하게 사용하리라 다짐해 본다.

교장 선생님,
시간 강사로 매일 출근합니다

8월 말에 퇴직하고 두 달은 아무것도 하지 않고 푹 쉬려고 했다. 그래서 아무 계획도 세우지 않았다. 쉬는 동안 브런치에 글 쓰고 운동하고 요리하며 너무 행복하게 지냈다.

그러며 가끔

"주님, 퇴직 후에도 제가 가장 잘할 수 있는 일자리를 예비해주시길 기도합니다."

라고 기도를 했다.

이제 퇴직하고 한 달 반 정도 지났다. 조금씩 일상을 찾으며 적응하고 있다. 그런데 이웃 학교 교감 선생님께서 시간 강사로 좀 나와주실 수 없냐고 하신다. 생각해 보지 않아서 나가고 싶지 않다고 말씀드렸는데 학교에 어려운 사정이 생겼다고 한다. 선생님께서 두 달 병가를 내고 쉬셔야 하는데 기간제 교사를 못 구해서 걱정이 많다고 한다.

학교는 선생님께서 출근 못 할 때는 시간 강사를 채용하여 수업을 맡긴다. 시간 강사는 초등학교 교원 자격증이 있으면 가능하다. 시간 강사를 못 구할 때는 교과 선생님이나 동학년 선생님께서 교과 시간으로 수업이 없을 때 보결 수업을 하기도 한다. 하지만 보결을 계속하다 보면 선생님들의 피로도가 커져서 너무 힘들다. 강사 구하는 일은 주로 교감 선생님께서 하지만, 못 구할 때는 교장도 알아보며 강사 구하는 일에 학교가 집중한다.

교사가 한 달 이내로 결근을 하면 시간 강사를 채용하지만, 한 달이 넘으면 공고를 통해 기간제 교사를 채용해야 한다. 시간 강사는 수업만 끝내고 교실 정리하고 퇴근하면 되는데 기간제 교사는 정규교사와 마찬가지로 퇴근할 때까지 근무해야 한다. 업무도 하나 정도는 맡아야 하고 직원회의에도 참석해야 한다. 급여도 호봉에 맞추어 정규 교원처럼 받고 4대 보험도 다 가입해야 한다. 하지만 시간 강사는 시간당 약간의 수당을 받고 4대 보험도 가입하지 않는다. 그러니까 부담도 그만큼 적다.

시간 강사나 기간제 교사도 코로나 이전에는 만 62세까지만 할 수 있었다. 그러니까 퇴직한 교원은 할 수 없었는데 코로나19로 인해 강사 수요가 많아지면서 강사 인력풀이 부족하여 교육청에서 한시적으로 나이 제한을 풀어주어 퇴직 후에도 가능하게 되었다. 하지만 나이 제한은 코로나가 종식되면 다시 원상 복구될 거로 생각한다.

시간 강사가 필요한 학교는 집에서 걸어서 10분 거리에 있는 아주 가까운 학교다. 5학년 과학 교과와 5, 6학년 도덕 수업이라고 한다. 기간제 교사를 원하지만, 기간제는 더더욱 할 마음이 없다. 더군다나 5, 6학년 강사는 많이 꺼리는 학년이라 처음에는 자신 없다고 못하겠다고 했다.

지난번 서울 모임 갔을 때 나보다 몇 년 먼저 퇴직한 선배 교장 선생님께서 집 근처 학교 시간 강사로 나가신다고 하셔서 우리 모두 대단하다고 했었는데 그냥 한번 해볼까 하는 생각이 들었다. 현직에 있을 때도 학교에서 강사를 못 구하면 한두 시간 들어가서 수업을 했던 것을 생각해 보면 학교가 참 어려울 것 같다는 생각이 들었다. 특히 2학기에는 졸업한 교대생들이 임용고사 때문에 공부하느라 강사 구하기가 더 어렵다. 한 마디로 시간 강사 비상이다.

'그래, 이것도 봉사지. 하나님께서 내가 가장 잘하는 일이 아이들 가르치는 일인 걸 아시고 일자리를 예비해주신 걸 거야.'

하는 생각이 들어서 시간 강사로 우선 한 달만 해보기로 하고 계약을 하였다. 이럴 땐 집이 서울이 아닌 게 다행이라고 해야 할까. 서울은 내가 교장으로 퇴직한 것을 다 알기에 시간 강사를 한다는 건 생각조차 할 수 없는 일인데 집이 인천이라 나를 아는 교직원이 없기에 조금은 편한 마음으로 할 수 있다.

이렇게 해서 지난주부터 시간 강사로 아파트 건너에 있는 초등학교로 출근하게 되었다. 좋은 것은 과학실 하나를 내가 혼자 하루 종일 교과 교실로 사용할 수 있다는 것이다. 과학실 컴퓨터에 수업 준비를 세팅해 놓으면 학생들이 한 반씩 1교시부터 수업하러 온다. 실험 준비는 과학 실무사가 해주어 실험에 대한 부담도 적었다. 사전에 학교를 방문하여 교과서와 시간표를 받아와서 주말에 교재 연구를 하고 수업 준비를 확실하게 하였다.

이곳 초등학교는 학생 수도 적고 학년마다 학년 연구실이 있어 너무 좋았다. 학년 연구실에는 교사들이 모여 회의도 할 수 있고 차도 마실 수 있게 정수기도 있었다. 더 좋은 것은 연구실마다 복사기가 있어서 필요할 때 교실 옆에 있는 연구실에서 바로 복사도 할 수 있어서 좋았다. 필요한 도화지 등 학습자료도 바로 가져가서 수업할 수 있었다. 서울 선생님들이 아시면 너무 부러울 것 같다. 퇴직 전 학교는 학생 수도 30명이 넘었고 학년 연구실뿐만 아니라 교과 교실도 거의 없어서 교과 교사들이 학급으로 순회하며 수업을 해야 했다. 아주 불편했지만, 유휴 교실이 없기에 어쩔 수 없었다. 다양한 특별교실과 넓은 공간이 있는 이곳 학교 환경이 참 부러웠다.

5학년은 네 반이고 6학년은 다섯 반이다. 6학년 도덕 수업은 월요일 1교시부터 5교시까지 이어서 하고 퇴근한다. 5, 6학년은 5교시 후에 급식을 먹었다. 5학년은 네 반이라 2교시부터 5교시까지 수업하고 퇴근하면 된다. 월요일을 제외하면 2교시가 9시 30분부터 시작되기 때문에 9시에서 9시 10분 사이에 출발하면 된다. 친정어머니 센터 보내드리고 출근하면 되어 그것도 맘에 든다. 1주일 정도 수업을 하며 느낀 점은 나는 가르치는 것을 아주 좋아한다는 거다. 교사 시절 학교 업무 하느라 수업에 집중하지 못할 때도 많았는데 지금은 철저한 수업 준비와 수업 시간에도 학생들만 바라보고 수업에 전념하니까 수업이 너무 재밌고 왠지 참 교사가 된 것 같다.

갑자기 시작하게 된 시간 강사지만 내가 가장 잘하는 것이 가르치는 일임을 새삼 느끼는 요즈음이다. 계약한 한 달을 멋지게 마무리하고 다시 계약하여 병가 내신 선생님이 돌아올 때까지 최선을 다하리라 다짐해본다. 학교로 출근하면서 오늘 만날 학생들을 생각하며 처음 교사로 발령받았던 때처럼 가슴이 떨리는 건 아직 내 마음속에 선생님의 사명감이 남아 있기 때문이라는 생각이 들었다.

내가 가장 잘하는 일을 할 수 있도록 기도 응답해주신 주님께 감사드린다. 시간 강사는 수요가 있을 때만 하는 거라서 쉬다가 가끔 학교로 출근하는 것도 나쁘지 않을 것 같다. 집에서 걸어서 갈 수 있는 학교가 다섯 학교라 그냥 주변 학교에서 연락하면 즐거운 마음으로 출근하려고 한다.

교감 선생님께서 시간 강사로 와 주셔서 고맙다고 여러 번 인사하신다. 고마운 건 나도 마찬가지인데.

이렇게 가슴 뛰는 일을 할 수 있어서 요즘 마음이 젊어진 것 같다. 언제까지 할 수 있을지 모르겠지만 11월까지는 최선을 다해 교사의 사명을 다하리라 마음먹어 본다.

나는 오늘도 설레는 마음으로 초등학교로 출근합니다.

골프로 맺어진 15년 우정

매달 셋째 주 월요일 6시는 백조 회 모임 날이다. 백조 회는 옛날 백석 골프 연습장에서 함께 연습하고 라운딩하러 다녔던 15년 지기 골프 모임이다. 제일 막내가 56세이고 제일 큰 언니가 71세이다. 나는 네 번째 언니다. 우린 그냥 나보다 나이가 많은 사람은 편하게 언니라고 부른다. 오래 만난만큼 허물없이 친하게 지낸다. 오늘은 딸 둘, 아들 하나인 막내가 지난 주말에 결혼을 다 시키고 숙제를 마친 날이라 저녁을 샀다. 방이 있어서 모임 때마다 자주 가는 음식점인데 오늘따라 왕갈비도 냉면도 너무 맛있다고 모두 말했다. 음식을 대접한 막내가 기분이 좋았을 것 같다.

2000년에 우린 서울 아파트를 팔고 이곳에 새로 지은 아파트를 사서 입주하였다. 옆에 작은 산과 근린공원도 있고 평수도 조금 넓어서 사는 데 불편이 없었다. 이사를 오며 남편이 가까운 골프 연습장에 등록하였고 1년쯤 뒤에 남편이

"나이 들어 함께 할 수 있는 운동이 골프라고 하는데 당신도 함께하지."

라고 권해서 골프에 입문하게 되었다.

골프는 밖에서 보면 쉬운 운동 같지만, 너무 힘들었다. 한 자리에 계속 서서 같은 동작을 하고 멀리 보내려는 욕심에 힘을 주다 보면 허리도 아프고 팔도 저리고 아침에 일어나면 손가락도 잘 펴지지 않았다. 의욕이 앞선 초보 골퍼 중에는 갈비뼈에 금이 가서 고생하는 분들도 생각보다 많다. 몇 달 렛슨을 받은 후에 너무 재미없어 그만두려고 하다가 골프채가 아까워 그냥 하게 되었다.

연습장에는 부부가 함께 연습하는 사람이 많아서 가족 같은 친근함이 묻어났다. 이곳이 예전에는 조금 시골이다 보니 직장 다니시는 분도 있었지만, 주로 공장을 운영하시는 사장님, 조상에게 물려받는 땅에 건물을 지어 건물 월세로 생활하시는 분도 많았다. 시간도 자유롭고 경제적으로 여유가 있어서인지 시골인데도 골프 인구가 많았다. 연습장에서는 대부분 호칭이 사장님, 사모님이다. 조금더 높여주는 호칭으로 회장님이라고도 불러준다. 이 지역이 개발되며 신도시로 발돋움하는 시기였기에 이곳이 고향인 분들이 많이 있었지만, 우리처럼 외지에서 들어온 분들도 차츰 늘어났다. 지금은 이곳이 우리에게 제2의 고향이 되었다.

골프 연습장 옆에 숯가마 찜질방이 있어서 연습 후에는 함께 찜질방에 가서 몸을 풀며 그렇게 한 분 두 분 친해졌다. 우린 몇 년 동안 연습장에 연회원으로 등록하여 매일 출근 도장을 찍고 서로 얼굴 보는 일이 일과가 되었다. 일이 있어서 연습은 못 해도 얼굴 보려고 연습장에 들를 정도였다. 그러던 중 연습장 주인이 바뀌며 연습장을 리모델링하고 스크린 골프가 들어왔다. 우린 연습으로 몸을 푼 후에 지하 스크린골프장으로 내려가서 스크린 골프에 흠뻑 빠졌다. 4명 또는 8명까지 모여 깔깔대며 게임에 빠졌다. 스크린 골프로 이글도 하고 숏홀에서 홀인원도 두 번이나 하다 보니 점점 더 재미있어졌다.

스크린 골프에 푹 빠져 살던 즈음에 연습장에서 여성 스크린 골프 대회를 하였다. 사전에 일정 횟수 이상을 치고 등수에 드는 사람만 본선에 참가할 수 있어서 그때부터 삼삼오오 모여서 도전하였다. 순위 보드에 매시간 순위가 엎치락뒤치락하여 도전의 묘미를 더했다. 물론 상술이긴 하지만 1등 상금 60만 원은 탐날만하였다. 하지만 대회에 참가하기 위하여 예선전을 치르느라 투자한 스크린 비를 모두 합하면 회사는 손해보다는 이익이 훨씬 많았을 것 같다. 나도 3회 골프대회에서 한 번 1등을 하여 상금으로 60만 원을 받아 함께 참가한 여성 골퍼분들에게 음식을 대접하기도 했다.

나는 직장에 다니기 때문에 주말에만 라운딩이 가능했다. 주말 골프는 더 비쌈에도 불구하고 언니들이 함께 나가주어 무척 고마웠다. 라운딩을 나가면 정말 공이 잘 맞는 날도 있지만 안 맞는 날은 스트레스가 쌓인다.

"그냥 라운딩 가면 오잘공(오늘의 잘 친 공) 하나만 기억해."

라며 못 쳐도 스트레스받지 말자고 하지만 그래도 마음대로 안 맞는 날은 스트레스다. 골프는 즐거워지려고 하는 운동인데 어쩔 수 없이 가끔 스트레스가 쌓인다. 그래서 세상에 마음대로 안 되는 일이 '자식과 골프공'이라고 하는 것 같다. 우린 라운딩 후에도 아쉬움이 남아 스크린 골프로 또 라운딩을 돌고 퇴근하곤 하였다. 지금 생각하면 힘이 넘쳤던 시절이었다.

이렇게 치열하게 운동하던 골프가 조금 시들해질 무렵 우리는 마음이 맞는 9명이 한 달에 한 번 모임을 하기로 했다. 매달 회비를 내어 일정 금액이 모이면 나누어 금반지도 함께 맞추고 어떤 때는 뽑기를 하여 한 사람이 타기도 하였다. 함께 베트남 다낭으로 여행도 다녀왔고, 지금도 여행 갈 날을 기대하며 회비를 모으고 있다. 코로나로 인해 우린 연습도 스크린 골프도 자주 못하지만, 가끔 라운딩만 나간다.

나는 요즘 라운딩 전에 그냥 스크린만 한번 하고 나간다. 공이 맞는 것이 신기하다. 연습을 게을리하니 구력은 모두 10년 이상 되지만 타수는 생각보다 잘 안 나온다. 골프에 빠져있을 때 한두 분은 싱글 패를 받은 분도 있지만, 연습과 라운딩을 꾸준하게 병행해야 하는 운동인데 그렇지 못하다 보니 100타가 넘는 분도 있고 대부분 8, 90대를 친다. 그래도 이제는 여유가 생겨 스트레스받지 않고 그냥 즐겁게 라운딩을 마친다.

어제가 모임 날이라 음식점에서 모여 식사를 하고 카페로 이동하여 손자 이야기, 부모님 이야기, 골프 이야기 등을 하며 시간 가는 줄 몰랐다. 지난달에 한 이야기를 이번에 또 해도 새로운 것처럼 잘 들어주고 공감해 준다. 오늘은 곧 시작해야 할 김장 이야기가 더해졌다.

그러며 하는 이야기가

"이제 골프 치고 싶은 마음이 별로 안 드네."

라고 큰 언니가 말하자 다들

"정말 그래요. 우리가 스크린도 정말 원 없이 했기 때문에 지금
은 별 미련이 없는 것 같아요"″

다들 한 마음이다. 나도 그렇다.

가끔 휴일에 남편과

"심심한데 우리 스크린이라도 갈까?"

"전화해보고 시간이 맞으면 가요."

그러다가 원하는 시간대에 자리가 없으면 그냥 포기해버린다. 예
전 같으면 저녁 늦은 시간에도 예약하고 갔을 텐데 이젠 그렇게 쉽
게 포기해버린다. 우리도 골프가 시들해진 건 마찬가지다.

따뜻한 봄이 되면 다시 골프 하고 싶은 마음이 생길 수도 있지만
이렇게 한 달에 한 번 만나서 이야기꽃을 피우는 것도 너무 좋다.
골프로 맺어진 15년 인연이지만 지금은 골프보다 세상 사는 이야기
가 더 좋은 우리다.

다음 달에는 또 어떤 이야기로 이야기꽃을 피울까 기대하며 헤어
졌다. 모두 건강하게 한 달 잘 보내고 이야기보따리에 재미있는 이
야기 가득 채워 오기 바란다.

시월의 어느 멋진 날

2022년 7월 29일 퇴직하기 직전에 문학 고을 문예지 신인문학상 공모전에 시를 공모하여 시부문에 당선되었다. 10월 22일 토요일에 호텔에서 하반기 신인문학상 등단 식이 있었다. 남편과 약간은 격식 있게 차려입고 등단 식이 열리는 호텔로 향했다. 등단 식은 11시부터 개최되지만 10시 30분까지 입실해달라는 문자를 받아서 집에서 조금 넉넉히 9시 30분에 출발하였다. 규모가 큰 공모전이 아니라고 생각하여 아들 며느리에겐 알리지 않고 남편과 둘이 참석하였다. 하지만 입구에서부터 축하 화환이 넘쳐났다. 이럴 줄 알았으면 아들 며느리 손자까지 같이 오는 건데. 지금 후회해도 소용없다.

접수대에 접수를 마치고 남편과 지정된 자리에 앉았다. 많은 화환이 놓여 있고 꽃다발을 든 가족들이 삼삼오오 들어왔다.

"엉? 우리만 빈손으로?"

남편이 미안해하길래

"내가 꽃인데 뭐. 괜찮아."

마주 보고 웃었다.

꽃다발과 꽃바구니로 축하해주려는 가족들의 표정이 밝다. 아들, 딸 등단을 축하해주러 오신 부모님, 부모님의 등단을 축하해주러 온 자식들, 그리고 나처럼 남편, 친구들 등 다양한 축하객이 모였다. 오늘 등단하는 시인 중에 젊은 분도 있었지만 나보다 연륜이 쌓인 분들도 많았다. 시는 연륜이 묻어나고 많은 추억이 있으면 쓰고 싶은 글감도 많아지고 좋은 시로 태어날 수 있지 않을까 하는 생각이 들었다.

먼저 보컬 그룹의 축하 공연이 있었다.

오랜만에 듣는 어니언스의 '편지' 노래가 마음을 흔든다. 목소리가 너무 좋다. 다음은 오늘 등단 식에 딱 맞는 정태춘, 박은옥의 '시인의 마을'이 이어졌다. 선곡이 참 좋다. 드디어 오늘 나도 시인의 마을에 입성했다. 등단한 시인들의 직업도 다양하다. 나처럼 퇴직하고 글 쓰는 분들부터 섬마을에서 펜션을 운영하시는 분. 목사님, 음악가, 요리사, 의사, 교수, 회사원 등 다양했다. 신기한 것은 여성보다 남성이 많다는 것이다. 나이 들면 남성분들의 감성이 더 깊어지는 걸까? 아니면 그동안 가족들 생계 때문에 쓰고 싶은 욕구를 깊이 감추어 두었다가 지금에야 꺼내는 것일 수도 있겠다.

축사에 이어 심사위원님 소개, 시 낭송, 시평 등으로 이어졌고 마지막으로 등단 패 증정식이 있었다. 시 낭송은 구구절절 가슴을 후벼 판다. 시 낭송에 관심이 있기에 귀가 쫑긋해진다. 목소리도 너무 좋고 다섯 편 시를 다 외워서 낭송해주신 교수님이 너무 멋져 보였다. 하마터면 눈물 한 방울을 떨굴 뻔했다. 시 다섯 편이 모두 그리움으로 꽉 차 있어 내 마음도 그리움으로 몽글몽글해진다. 시란 이런 거구나.

등단 인증서 옆에 끼워져 있는 작가 헌장이 어릴 적 국민교육 헌장처럼 묵직하다. 내가 문인으로서 사명감과 책임감을 느끼고 독자들에게 귀감이 될 수 있는 시인이 될 수 있을까?

'깊은 사유와 글 향 속 영혼의 울림을 통한 어둠의 빛을 사회에 비추며 독자들에게 사랑받는 문인이 될 것을 다짐한다.'

는 구절도 무겁다. 많은 절제와 노력이 필요할 것 같다.

오늘 생애 단 한 번뿐인 신인문학상 등단 식을 통해 시인으로서 초심을 잃지 않고 좋은 시 열심히 쓰리라 다짐해 본다. 아직 많이 부족하지만, 노력하다 보면 울림이 있고 깊이가 느껴지는 좋은 시를 써서 내가 쓴 시를 읽으며 위로를 받는 독자도 생기기를 기대해 본다.

시월의 어느 멋진 날, 차창 밖으로 보이는 가을 단풍이 아름답다. 아직 가을이 머물러 있었구나. 아름다운 가을 끝자락에서 난 시인으로 등단하며 등단 시인이 되었다. 이 아름다운 가을날처럼 아름답고 멋진 시인이 되고 싶다.

스크린 골프가 싫어졌다

정말 오랜만에 남편과 스크린 골프를 예약하였다. 남편이 다음 주말에 라운딩이 잡혀있어서 가기 전에 몸도 풀고 골프채 거리도 측정하기 위해서다. 남편은 구력이 20년이 넘는다. 나도 남편보다 2년 늦게 시작했지만, 제법 구력이 오래되었다. 인도어 골프 연습장에서 연습해야 하는 것이 좋지만, 언제부터인지 우린 라운딩 나가기 전에 스크린을 한두 번 하고 나간다. 스크린에서는 남은 거리에 따라 골프채를 모두 사용하여 연습할 수 있기 때문이다.

나는 스크린 골프를 좋아한다. 지인들끼리 모여 서너 시간 동안 정말 많이 웃으며 치기 때문에 스트레스도 풀린다. 많은 규칙을 정해 벌금도 내며 치다 보면 이렇게 재미있는 일이 있을까 싶다. 벙커나 해저드에 빠져도 천 원, OB도 천 원, 더블 파도 천 원 등 점점 더 벌금을 많이 낼 규칙을 만들어 경기하다 보면 웃을 일도 많아진다. 모인 벌금으로 게임비를 낸다. 몇 년 동안 스크린 골프를 정말 많이 치다가 코로나19 이후에는 지인들과 스크린 골프를 거의 하지 않고 가끔 남편과 하게 되었다. 지는 사람이 스크린 비를 내고 끝나면 가끔 외식도 하고 들어가서 그날은 식사 준비에서도 해방된다. 그래서 스크린 하는 날은 늘 즐거웠다.

오늘은 남편이 주말에 나갈 그랜드 CC를 코스로 선택하고 바람 약하게 그리고 프로 코스로 세팅하였다. 그리고 컨시드는 1m로 하고 남편은 화이트로, 나는 레드로 티박스를 선택하였다. 첫 티샷을 힘차게 날렸다. 웬일인지 가운데로 잘 나갔다. 물론 오랜만에 치기에 비거리는 짧아졌다. 남편은 첫 홀부터 러프에 빠졌다. 오늘도 내가 꼭 이길 것만 같았다. 하지만 골프는 마지막 홀까지 쳐봐야 안다. 오랜만에 치니까 어프로치 거리도 들쑥날쑥하고 퍼터도 이자가 더 많았다. 이자란 퍼터를 쳤는데 남은 거리가 더 멀어졌다는 뜻이다. 남편이 잘 사용하는 말이다.

9홀 전반전을 마쳤는데 벌써 11개나 오버다. 해저드가 있는 홀에서 세컨드를 3번 우드로 쳤는데 해저드에 두 번이나 빠져서 더블 파를 하였기 때문이다. 실제로 라운딩 가면 남편이 잘 치지만 스크린에서는 한 번도 남편에게 진 적이 없었는데 계속 밀린다. 연습도 안 하고 라운딩도 안 나가고 오랜만에 채를 잡아보며 잘하기를 바란 내가 교만이 넘쳤다. 오늘은 파만 나와도 하이 파이브를 했다. 남편도 힘만 들어가고 드라이브가 오른쪽 왼쪽으로 정신이 없다. 다음 주에 라운딩을 나가야 하는데 큰일이다. 다행스럽게 후반에는 조금 나아졌다. 하지만 스크린에서 버디를 한 번도 못 한 것은 이번이 처음이다.

남편은 허리가 아프다고 한다. 며칠 전부터 아픈 허리가 안 하던 골프를 그것도 잘 안 맞으니까 힘을 주어 치다 보니 더 아픈 것 같다. 공이 잘 안 맞으니 스크린도 재미없다. 지금까지 스크린 골프가 재미없다고 생각한 적이 한 번도 없었는데 오늘은 정말 재미없다. 이러다가 골프를 아주 그만두는 게 아닐까 싶다. 18홀이 모두 끝나고 나니 남편은 92타를 나는 94타를 쳤다. 내가 졌다. 당연히 오늘은 내가 스크린 비를 냈다. 저녁 먹기도 애매한 시간이라 외식도 안 하고 그냥 집에 와서 남편은 안 쓰던 근육을 쓴 탓에 여러 군데가 아파서 진통제까지 먹었다. 남편은 한창 열심히 칠 때 이글도 하고 싱글도 하여 우리 집에 이글 패, 싱글 패를 비롯하여 골프 관련 기념패도 여러 개 있는데 요즘 너무 오래 골프를 게을리한 것 같다.

무슨 일이든 즐겁게 하고 결과도 좋으면 늘 재미있다. 그래서 다음에 또 하고 싶고 그러다 보면 점점 잘하게 된다. 하지만 오늘처럼 마음먹은 대로 안 되고 결과도 나쁘면 다음에 하고 싶은 생각이 안 든다. 물론 오늘은 실패한 원인을 알기 때문에 앞으로 연습도 많이 하고 노력하면 다음에는 분명 잘할 것으로 생각한다. 하지만 마음이 문제다. 연습해서 앞으로 잘할 것인가 그냥 그만둘 것인가, 아니면 그냥 잘 안 맞아도 가끔 오락으로 즐길 것인가. 남편은 더 나이 들기 전에 연습장 회원으로 등록해서 다시 운동하겠다고 한다. 나는 아직 결정하지 못해 며칠 더 생각을 해봐야겠다.

스크린 가면서 마음이 즐거웠고 요즘 헬스 다니며 근육도 키웠으니 비거리도 좀 늘었겠지, 생각했다. 골프 연습도 안 하면서 막연하

112

게 요행을 바랐던 내가 너무 부끄럽다. 심은 대로 거둔다는 말이 맞는 것 같다. 가끔 라운딩도 나가고 스크린도 하려면 연습도 좀 해야겠다. 골프채를 버릴 수는 없으니 말이다. 나이 들어 할 수 있는 일이 걷기 말고는 골프라고 하니 남편과 함께 운동하려면 골프를 아주 그만두는 것은 안 될 것 같다. 골프를 그냥 운동한다고 생각하고 즐기며 쳐야지 오늘처럼 욕심부터 내면 마음도 몸도 상한다는 것을 스크린 골프를 통해 배운 날이다. 그리고 나이 들었다는 것도 인정하고 아~옛날이여 하며 현실도 그대로 받아들이는 긍정적인 마음가짐도 중요할 것 같다.

오늘은 정말 스크린 골프가 재미없었지만, 다음에는 즐겁게 할 수 있으리라 기대해본다.

다섯 살 손자의 민들레 사랑

　다섯 살 둘째 손자는 많은 풀 중에서 유독 민들레를 좋아한다. 그다음으로 단풍나무를 좋아한다.

　"연우야, 민들레가 왜 좋아?"

　"민들레는 예뻐요."

　라고 말한다. 길을 걷다가 민들레가 있으면 그냥 지나치지 못한다.

　"할머니, 이거 뭐게요?"

　"연우가 대답해봐."

　"민들레요."

　그냥 보도블록 틈에 있는 꽃도 없는 납작한 민들레도 놓치지 않고 찾아낸다.

　손자는 주말에 근린공원에 가는 것을 너무 좋아한다. 공원 인조 잔디 운동장에서 공을 차는 것도 좋아하지만, 공원에 가면 민들레와 단풍나무가 있기 때문이다. 공원에 가면 먼저 단풍나무가 있는 곳으로 뛰어간다. 단풍나무 가지를 하나 잘라주면 단풍잎이 몇 개 있는지 세어본다. 한 손에 단풍나무를 들고 앞서서 뛰어간다. 민들레가 있는 주차장 옆 햇빛이 잘 드는 풀밭 언덕에 가려는 거다.

풀밭에는 가을인데도 신기하게 민들레꽃이 피어있다. 들고 있던 단풍나무는 할머니에게 맡기고 노란 민들레를 하나 딴다. 그리고 다른 손에는 민들레 홀씨를 따서 후~불어 본다. 홀씨가 잘 날아가지 않으면 손을 흔들어 날리며 신나 한다. 눈처럼 흩어지는 민들레 홀씨는 내가 보아도 멋지다. 한 손에는 민들레를 다른 손에는 단풍나무를 우승컵처럼 들고 공원을 한 바퀴 돈다. 돌다가 민들레를 발견하면 앉아서 한참을 보다가 일어선다.

벤치에 앉아서 축구 하는 아저씨들을 보다가 민들레가 시들면 다시 내 손을 잡아끌고 민들레 언덕으로 간다. 이제 양손에 민들레와 단풍나무를 들고 집으로 돌아온다.

"할머니, 가을에도 민들레가 왜 필까요?"

"왜 필까?"

무슨 대답을 할까 궁금해서 되물어보면

"해님이 따뜻하게 햇빛을 비춰주어서."

"딩동댕~"

손자랑 있으면 심심할 틈이 없다. 질문을 어찌나 많이 하는지 할머니도 공부가 필요하다. 기억력이 좋기에 잘못된 지식을 알려주면 안 될 것 같다. 민들레는 영어로 'Dandelion'이라는 것도 손자에게 배웠다. 아마 아빠가 가르쳐준 모양이다.

공원에서 집에 돌아오면 핸드폰으로 민들레를 검색한다. 지난주까지는 음성으로 검색하더니 이번 주부터는 한글로 검색하였다. 쌍둥이 손자는 세 돌이 지나면서부터 한글을 낱말로 읽더니 세 돌 반쯤에 한글을 거의 깨쳐 TV 자막 글씨를 읽었다. 읽기는 하는데 아직 글씨 쓰는 것은 안 한다.

"할머니, ㅁ 다음에 뭐예요?"

"응, ㅣ"

"다음에는요?"

"ㄴ, 다음엔 ㄷ"

"민들레 나왔어요."

검색한 다양한 민들레를 보며 신나 하며 나한테도 보여준다.

그러다 TV에서 유튜브를 검색한다. 핸드폰 검색할 때처럼 한글로 검색하는 것이 재미있나 보다. 민들레 철자를 또 물어보며 검색한다. 유튜브에서는 우효의 잔잔한 '민들레' 노래와 진미령의 '하얀 민들레' 노래가 검색되었다. 민들레 사진이 커버에 있다. 자막을 보며 노래를 흥얼거리며 따라 한다. 그 모습이 너무 신기하다. 나도 오랜만에 하얀 민들레를 따라 불러본다. 손자는 정말 민들레를 좋아하는 것 같다.

요즈음 민들레는 겨울만 제외하고 봄부터 가을까지 다 피는 것 같다. 그리고 보도블록 틈에서조차 피기 때문에 생존력이 강하다. 손자가 좋아하는 민들레를 오래 볼 수 있어서 나도 좋다. 손자가 행복하면 나는 더 행복하다. 이제 찬 바람이 불어 날씨가 춥다. 곧 겨울이 올 것 같다. 손자가 좋아하는 민들레꽃은 이제 봄까지 기다려야 볼 수 있을 거다.

둘째 손자는 자연에 관심이 많다. 하늘, 구름, 달, 해님뿐만 아니라 나무 등 식물에도 관심이 많다. 어느 날 밤에

"할머니, 달 떴어요."

달도 제일 먼저 발견하고 아침에는

"해님이 아직 자나 봐요."

하며 해님이 뜨기를 기다린다.

발코니 유리창으로 보이는 잣나무 뾰족한 잎이 조금씩 노란빛으로 물들어 떨어지고 있다. 손자는 잣나무가 소나무인 줄 안다. 솔방울 같은 작은 잣이 열렸다가 떨어지기 때문이다.

"할머니, 소나무도 단풍이 왜 들까요. 잎이 떨어지고 있어요."

"단풍이 왜 들까?"

"가을이라서"

언제 이렇게 커서 똑똑해졌는지 눈에 넣어도 안 아플 손자다. 주말마다 오는 손자가 이제 민들레와 단풍나무 말고 겨울에는 무엇을 새로 좋아하게 될까 궁금하다. 흰 눈은 좋아할 것 같은데 설악산에 내린 첫눈이 이곳에는 언제 내릴까 기다려진다.

손자를 생각하며 발코니 잣나무를 본다. 오늘은 더 많은 잣나무 잎이 떨어져 바닥에 쌓였다. 외갓집 뒷산에서 소나무 낙엽인 소갈비를 긁어 와서 땔감으로 썼던 국민학교 시절 그때가 떠오른다. 그땐 나도 다섯 살 손자처럼 호기심이 많았겠지.

곧 가을이 떠날 것 같다. 주말에 올 손자와 새로 맞이할 겨울을 기다리며 오늘도 행복하다.

파김치도 담글 줄 아는 요리 잘하는 엄마

나는 요리하는 것을 좋아한다. 그렇다고 요리를 잘하는 것은 아니다. 다만 매번 새로운 요리에 도전하는 것을 좋아한다. 새로운 요리를 할 때는 인터넷에서 검색하거나 유튜브를 보고 가장 쉽고 잘할 수 있는 방법을 찾는다. 이거다 싶으면 한글로 정리해서 출력한 후 나만의 요리책을 만든다. 그렇게 만든 레시피를 차곡차곡 모아 요리 교과서(나만 보는 요리책)를 만들었다.

내 요리 교과서에는 양념도 묻고 빨강, 파랑 볼펜으로 수정도 하여 지저분하다. 포스트잇이 붙어있는 곳도 많아 정신없어 보이기도 한다. 하지만 내 삶에 보물 같은 책이다. 요리해보고 입맛에 맞지 않는 부분에는 메모해서 양념 양 등을 조절하여 메모해 둔다. 그러면 다음에 같은 요리를 할 때 실패할 확률이 아주 적다. 특히 1년에 몇 번 안 하는 오이 피클, 오이지, 갈비찜, 묵은지 찜, 버섯전골 등은 꼭 요리책 교과서를 봐야 자신 있게 할 수 있다.

손자가 메추리알 조림을 좋아한다. 메추리알 조리법도 들어 있어서 요리할 때마다 펼쳐보고 하므로 매번 맛있다. 가족들도 요리 솜씨가 좋아졌다고 하며 맛있게 먹는다. 물론 나한테 요리 교과서가 있다는 것은 비밀이다.

친정엄마는 요리를 잘하셨다. 손이 많이 가는 나물도 뚝딱 무치고 찌개도 금방 끓여주셨다. 김치도 맛있게 담그셨다. 생각해 보면 이 나이 되도록 내가 김치를 직접 담가 먹은 적이 별로 없다. 늘 친정 어머니께서 김치를 담가주셨기 때문이다. 공주처럼 살았던 것은 아 니지만, 내 안에 공주가 살아 있긴 한 것 같다.

친정어머니께서는 김치가 떨어지면 손자들 얼굴도 볼 겸 해서 올 라오셔서 김치를 담가주셨다. 파김치도, 총각김치도, 열무김치도 쉽 게 잘 담그셨다. 매년 12월에는 김장을 해주셨다. 배추김치는 많이 담가서 김치냉장고에 두고 1년도 더 먹어 남은 묵은지로 김치찌개 를 끓여 먹고 김치찜도 맛있게 해 먹었다. 거기다가 총각김치와 파 김치도 계절마다 담가주셔서 우리 가족은 할머니 표 김치가 늘 가 장 맛있다고 한다.

그런 친정어머니가 작년부터 인지기능이 떨어져서 혼자서는 아무 것도 못 하신다. 작년 12월에 김장을 어떻게 할까 걱정하다가 남편 과 둘이 해보기로 하였다. 한 번도 김치를 사 먹은 적이 없어서 큰 용기를 내어 올해도 담가 보자고 했다.

김치와 관련된 재미있는 에피소드를 들은 적이 있다.
이웃 학교 교장 선생님이 결혼한 아들이 신혼여행을 갔다 오는 날 음식을 많이 차리셨다고 한다. 몇 가지는 직접 만들고 몇 가지

는 평소에 잘 가는 반찬 가게에서 주문했다고 한다. 철없는 아들이 식사하며 그냥 맛있게 먹으면 좋으련만

"이거 엄마가 만드셨어요?"

하며 자꾸 물어보아서

"그럼, 엄마가 만들었지."

"아무래도 김치는 엄마가 한 것 같지 않은데요."

그래서

"응, 김치는 대기업 다니시는 이모님이 담가주셨어."

라고 말했더니 아들이 갸우뚱하더란다.

김치는 농협 김치를 주문한 거였다고 했다.

사 먹어도 되지만, 그동안 할머니 김치에 익숙한 가족을 위해 한 번 담가 보기로 했다.

인지 기능이 떨어지긴 하셨지만, 어머니가 계셔서 그래도 조금 든든했다. 매년 주문하던 해남에서 절임 배추를 주문했다. 큰아들네랑 작은아들네도 담가주어야 할 것 같아서 넉넉하게 주문했지만 맛있게 담글 수 있는지 걱정이 되었다.

무채를 몇 개나 썰어야 할지 몰라 유튜브도 보고 아는 분께 여쭈어도 보며 준비했다. 모자라는 것보다 남는 것이 좋을 것 같아 무와 파, 갓, 마늘 등을 넉넉하게 준비하였다. 찹쌀풀도 전날 쑤어두고 무와 파도 다듬어 준비해 두었다.

김장 매트를 깔고 채칼로 무채를 썰고 새우젓과 액젓에 양념을 버무렸다. 우리 가족은 젓갈 냄새가 나는 것을 싫어해서 매년 새우

젓과 액젓만 넣고 김치를 담갔다. 가장 중요한 것이 김칫소에 들어 갈 양념 간이라 맛보고 또 보고, 배춧속에 싸서 엄마도 드리며 양 념을 완성하였다. 남편도 맛있는 것 같다고 해서 배추에 속을 넣고 김치통에 차곡차곡 눌러 담았다. 김치통이 늘어날 때마다 행복도 더해졌다.

그런데 어쩜 배추도, 무도 딱 맞게 샀는지 신기했다. 아무래도 내 가 엄마 음식 솜씨를 닮았나 보다.

정리까지 하고 나니 너무 힘들었지만, 내 손으로 김장을 했다는 뿌듯함에 남편과 하이 파이브를 하였다.

그렇게 담근 김치는 다행히 짜지 않고 먹을만했다. 할머니 표 김 치보다는 조금 덜 맛있지만, 자꾸 하다 보면 나도 잘하겠다고 생각 한다.

이제 파김치에도 도전해 보았다. 지난번에 한 번 담가 보았는데 모두 맛있다고 했지만, 뭔가 약간 부족한 것 같아 이번에는 정말 맛있게 담가 보려고 신경을 썼다. 쪽파는 머리가 크지 않은 것으로 세 단을 샀다. 다듬어 놓은 파도 있었지만, 머리가 너무 크고 싱싱 하지 않아 다듬지 않은 파 세단을 사 왔다.

거실에 신문지를 깔고 쪼그리고 앉아서 드라마를 보며 다듬는데 허리도 아프고 무릎도 아팠다. 생각보다 시간이 오래 걸렸다. 이렇 게 힘드니 만들어 놓은 것을 사다 먹지 하는 생각이 들었다. 파를 깨끗하게 씻어 소쿠리에 받혀 놓고 찹쌀풀을 먼저 쑤었다. 찹쌀풀 이 식은 후에 지난번에 적어놓은 레시피를 조금 수정하여 양념을 만들었다. 고춧가루양이랑 액젓 양을 조금 줄여서 양념을 만들었다. 맛있어야 할 텐데 조금 걱정이 되었다. 정성을 다해서 파를 버무려서 통에 조금씩 돌돌 말아서 꺼내기 좋게 담았다.

날씨가 더워 반나절만 상온에 두었다가 김치냉장고에 넣었다.

(파김치 레시피)

-쪽파 큰 단 3단
-액젓 2컵 반
-매실 1컵
-고춧가루 2컵 반
-찹쌀풀 3T+물 4컵

며칠 후에 시누이네랑 집에서 식사하게 되어 파김치를 꺼내 놓았다. 맛있다고 한다. 파도 크기가 딱 좋고 양념도 딱 알맞다고 한다. 정말 맛있는 거 맞냐고 또 물어보았다. 왠지 자신감이 솟았다.

주말에 작은아들이 쌍둥이 손자를 데리고 와서 먹어 보더니

"엄마, 이제 파김치 잘하시네요. 제가 먹어 본 파김치 중에서 최고예요. 파김치 따봉!!"

갈 때 조금 싸 달라고 한다.

맛이 있는 게 확실하다.

이제 나는 파김치도 담글 줄 아는 요리 잘하는 엄마가 되었다.

나에게 요리 교과서가 있기에 가능했다. 파김치로 행복 하나를 또 더했다.

part 3

셋째 달 퇴직일지

정호승 시인의 '봄날'로 시작하는
11월 첫날

10월 첫날은 이해인 수녀님의 '10월의 기도'로 시작하였다. 10월을 시작하는 첫날도 행복했다. 10월이 끝나는 어제도 행복했다. 10월은 정말 평범함의 기적을 실천한 한 달이었다. 특별한 일이 없어도 감사하고 행복하다. 퇴직하고 또 한 달이 지나 두 번째 연금을 받았다. 연금이 통장에 찍히니 든든하다. 또 한 달을 절약하면 걱정 없이 살 수 있다. 11월도 평온하고 건강하게 잘 보내길 기도한다.

정호승 님의 '봄길'은 8월 말 퇴임식 때 교감 선생님께서 송공사를 하며 낭송해주신 시다. 퇴임식 날 시 낭송을 들으며 감동되어 시를 찾아보았다. 읽을수록 퇴직하는 나에게 길을 알려주는 좋은 시란 생각이 들었다. 나도 정호승 시인이 말하는 것처럼 '길이 끝나는 곳에서도 길이 되는 사람'이 되고 싶다. 오늘 시를 필사하고 11월 첫날을 정호승 님의 '봄날'로 시작한다. 11월 한 달도 의미 있는 한 달이 되기를 기대해 본다.

봄길

정호승

길이 끝나는 곳에서도

길이 있다

길이 끝나는 곳에서도

길이 되는 사람이 있다

스스로 봄길이 되어

끝없이 걸어가는 사람이 있다

강물은 흐르다가 멈추고

새들은 날아가 돌아오지 않고

하늘과 땅 사이의 모든 꽃잎은 흩어져도 보라

사랑이 끝난 곳에서도

사랑으로 남아 있는 사람이 있다

스스로 사랑이 되어 한없이 봄길을 걸어가는 사람이 있다

퇴직하고 두 달이 지나고 세 번째 새달을 맞이한다. 두 달 동안 거의 매일 브런치 스토리에 글을 발행하고 운동도 열심히 하며 잘 살고 있다. 지난달부터는 초등학교 시간 강사로 매일 학교로 출근하고 있어 심심할 틈이 없다. 12시 40분에 수업이 끝나기 때문에 1시경에 퇴근하여 집에 오면 오후 시간은 마음대로 쓸 수 있다. 11월 중순까지는 이렇게 지내게 될 것 같다.

퇴직하고 한 가지 아쉬움이 있다면 좋은 계절에 여행하지 못했다는 거다. 아직 남편이 직장에 다니고 있고 인지가 안 좋으신 친정 어머니도 돌봐드려야 하고 주말에는 쌍둥이 손자와 놀아주어야 한다. 주일엔 예배에도 참석해야 해서 며칠 시간을 내서 여행할 형편이 안된다. 올가을은 이렇게 지나갔지만, 2월 말에 작은 아들네랑 쌍둥이 데리고 첫 자유여행으로 일본 여행도 예약해 놓아서 기대하고 있다.

나이 들고 보니 무리하게 일을 하려고 계획하면 꼭 문제가 생기고 후회하게 된다. 그냥 형편대로 사는 게 맞다. 물 흐르듯이 지금 처지에 맞게 살며 그 안에서 행복을 찾으면 된다고 생각한다. 난 지금도 행복하다. 함께하는 가족이 있고, 하는 일이 있고, 아름다운 자연을 얼마든지 볼 수 있다. 글을 쓰니 세상도 매일 새롭다.

새로 시작하는 11월도
건강하고 보람 있는 한 달로 채워지기를 바란다.

6학년 도덕 수업 덕에 꺼내 본 백두산 포토북

지난주 6학년 도덕 수업이 '5. 우리가 꿈꾸는 통일 한국' 단원 마지막 차시었다. 평화 통일이 되어 통일 한국이 되었다는 가정하에 통일된 우리나라에서 하고 싶은 일이 무엇인지 이야기해 보는 수업이었다. 많은 학생이

"북한에 있는 고구려, 고려 유적지에 가보고 싶어요."

"자전거를 타고 백두산까지 여행하고 싶어요."

"비행기 말고 기차나 승용차를 타고 유럽으로 여행하고 싶어요."

"좋아하는 평양냉면을 평양 옥류관에 직접 가서 먹고 싶어요."

등 다양한 생각을 발표하였다.

나도 수업하면서 통일이 되면 무엇을 가장 먼저 하고 싶은지 아이들과 함께 생각해 보는 시간이 되었다. 수업 전날 2008년 7월 말에 백두산을 다녀오며 포토북 만든 것이 생각나서 찾아서 수업 시간에 가져갔다.

"선생님은 백두산 천지 보고 왔는데……."

"선생님, 북한 다녀오셨어요?"

라고 묻는다.

백두산은 중국을 통해 다녀올 수 있다고 말해 주며 백두산 여행기를 들려주었다. 다녀와서 CD에 사진을 저장해두고 동영상 플래시도 만들었는데 아무리 찾아도 없어 아쉬웠다. 그때는 usb나 외장하드가 나오기 전이다. 다행히 백두산 천지에서 찍은 포토북 사진을 보여주며 백두산 천지를 보고 왔음을 증명했다.

2008년 7월 28일부터 8월 1일까지 4박 5일 동안 백두산 천지를 다녀왔다. 우리가 가기 전에 1박 2일 팀이 백두산 천지를 다녀와서 백두산 천지에 대한 관심이 많을 때였다. 강서 교총에서 하계 연수로 실시한 백두산 서파 여행에 참여하게 되었다. 백두산은 동파를 제외하면 서남북 세 곳으로 오를 수 있는데 우린 서쪽 서파로 오르는 코스이다. 동파는 북한 쪽에서 오르는 코스라 그때는 불가능했다. 서파는 1,236개 계단을 올라가서 천지를 위에서 내려다보는 코스다.

인천 연안 부두에서 동방명주 호 페리를 타고 배에서 잠을 자며 14시간여의 항해 끝에 중국 단둥에 도착하였다. 깜깜한 밤바다를 보는 것도 너무 멋졌고, 배에서 본 일몰도 황홀했다. 단둥에 도착하여 신의주를 건너다보며 압록강 유람선을 타고 육이오 때 끊어진 압록강 단교와 새로 만든 철교 아래를 유람하며 강 건너로 보이는 북한에 내리지 못하는 것이 안타까웠다. 버스로 5시간 정도 달려 집안에 도착하여 광개토대왕비와 장수왕릉인 장군총을 조망하고, 통화의 호텔에 도착하여 쉬었다. 버스로 이동하는 동안에 옥수수밭이 끝없이 펼쳐져 있음을 보며 옥수수가 식량의 많은 부분을 차지한다는 생각이 들었다.

다음 날 버스로 다섯 시간여를 또 달려 백두산 아래에 도착하여 셔틀버스를 타고 백두산 중간까지 갔다. 이제 1,236개 계단을 오르면 천지를 볼 수 있다는 생각에 다리가 아픈 것도 잊고 걸어 올라갔다. 7월 말은 가장 더운 여름이지만, 높은 지대라 서늘함이 느껴졌고 오르는 동안 날씨가 시시때때로 바뀌었다. 계단 양쪽으로 드문드문 피어있는 야생화 하나하나도 너무 소중했다. 계단이 많아서 다리가 불편한 사람들은 인력거를 타고 오를 수 있었다. 얼마인지 기억은 안 나지만 요금을 지불하면 가능했다.

백두산 정상에 오르는 동안 검은 구름이 몰려오고 바람도 불어 여기까지 와서 천지를 제대로 못 보고 갈 것 같아 걱정스러운 마음으로 마지막 계단을 오르는데 갑자기 구름이 걷히며 굉장히 넓은 호수의 파란 물색 천지가 보이는 데 감동이 물결쳤다. 그때 느낀 가슴 뭉클함이란 태어나서 처음 느끼는 감동이었다.

"우리가 전생에 나라를 구한 게 맞는 것 같아."

함께 간 일행은 손을 마주 잡고 깡충깡충 뛰었다. 그다음에는 사진으로 남기려고 서로 사진을 찍어주며 분주해졌다. 지인 네 명이 함께 갔었는데 포토북 사진을 보며 그때를 회상하는 지금도 가슴이 떨린다. 이런 감동은 살면서 또 한 번 있었는데 독도를 방문했을 때다. 배에서 내려 독도를 밟는 순간 가슴이 벅차오름을 느낄 수 있었다. 독도도 한 번의 방문으로 성공하였다. 내가 나라를 여러 번 구한 게 맞는 것 같다. 제주도는 여러 번 방문했지만, 아직 한라산 정상 백록담에는 오르지 못했다. 마음만 먹으면 갈 수 있는 백록담을 오르지 못해 아쉽다. 내년 봄에는 한라산 백록담도 꼭 보러 가리라 다짐해본다.

내려오며 금강 대협곡의 웅장한 계곡을 보았다. 그 규모가 정말 대단했다. 마지막 날 아쉬움에 새벽에 일찍 일어나 룸메이트랑 통화의 황산 공원에 가서 중국인들이 모여서 아침 체조하는 것도 보았다. 아침이면 임시 장터가 서는데 남자들이 삼삼오오 봉지를 들고 와서 아침 식사로 먹을 만두와 꽃빵을 사가는 풍경도 볼 수 있었다. 중국은 이름대로 우리나라와 많이 '차이나'는 것 같았다. 오래되긴 했지만, 화장실이 옛날 우리 어린 시절에 사용하던 시골 화장실 같았는데 지금은 달라졌으리라 생각한다.

백두산 여행은 배를 타고 이동하는 코스였는데 배에서 2박은 비행기 여행보다 더 좋았다. 여기저기 걸어 다닐 수 있어서 무릎도 아프지 않았고, 갑판에 올라가 끝없이 펼쳐진 밤바다를 보며 따라오는 갈매기와 일몰을 본다는 것도 여행의 행복감을 더해 주었다. 백두산 여행은 정말 의미 있는 여행이었는데 그동안 잊고 있다가 6학년 도덕 수업을 하며 포토북을 꺼내 추억을 되새겨 보았다.

포토북 에필로그 끝에

정말 잊을 수 없는 여행이 되었다. 추억은 아름다운 기억 속에 묻고, 맑은 천지의 신비스러운 푸른 물빛을 가슴에 담아 앞으로 내 인생에서 한 조각씩 꺼내 남은 삶을 즐겁고 보람 있게 살려고 한다.   -2008년 8월 8일

이라고 쓰여 있었다. 정말 감동을 많이 받았던 여행이었던 것 같다. 가끔 백두산 천지를 보고 왔다는 것에 뿌듯함이 있었는데, 오늘 한 번 더 뿌듯함을 느낀다. 학교에 시간 강사이긴 하지만 선생님으로 출근하길 정말 잘했다는 생각이 든다. 6학년 도덕 수업에 통일 단원이 있기에 오늘 소중한 백두산 여행 추억을 꺼내 보게 되어 감사한 하루다.

10년도 더 지난 여행의 추억을 글로 쓸 수 있는 것은 여행할 때마다 만들어 둔 포토북 덕분이다. 기억에는 한계가 있어 포토북처럼 글과 사진으로 남겨두는 것이 아주 중요함을 느낀다. 이렇게 글을 쓰고 책으로 남길 수 있다는 것은 더 큰 행운이라는 생각을 다시금 해본다. 앞으로 나이 들어도 꺼내 볼 수 있는 추억들이 글로 차곡차곡 쌓이기를 기대하며 오래오래 글을 쓰리라 오늘 한 번 더 다짐해본다.

5년 쓰던 핸드폰을
어쩔 수 없어 바꿨다

오늘 거의 5년 동안 사용하던 핸드폰을 새로 바꾸었다. 3년 정도 기깃값 할부금을 내다가 끝나니 핸드폰 요금도 43 요금제인데 이것저것 할인을 받아서 32,000원 정도밖에 내지 않아서 좋았다. 남편이 작년에 폴더폰으로 바꾸며 나도 핸드폰을 바꾸자고 했지만, 사용하는데 불편하지 않아 그대로 쓰고 있었다. 요금도 저렴하기에 고장 날 때까지 쓰려고 했다. 물론 속도도 조금 느리고 배터리도 처음보다 빨리 소진되지만, 조금 불편할 뿐 사용하는 데는 큰 문제는 없었다.

그런데 금요일에 걸어가며 핸드백에서 핸드폰을 꺼내다가 보도블록에 떨어뜨려서 핸드폰 뒷면에 금이 여러 개 가서 어쩔 수 없어 바꾸게 되었다. 더 쓸 수 있는데 아까웠다. 충전하느라 커버를 빼놓고 그냥 온 것이 문제였다.

나는 늘 갤럭시 노트를 사용했다. 화면도 크고 S펜도 편해서 조금 크고 무겁긴 하지만 핸드폰을 바꿀 때마다 노트를 선택하였다.

이번에도 폴더폰으로 바꿀까 하다가 펜이 있는 노트로 하려고 했는데 이제 노트는 단종되었다고 했다. 남편과 나는 핸드폰을 바꿀 때는 늘 작은아들이 바꿔준다. 이번에도 작은아들이 지인이 운영하는 핸드폰 가게에 가서 바꿔주었다. 내가 노트와 비슷한 것이 좋다고 하니까 비슷한 갤럭시 S22 Ultra 버건디 색으로 세팅해서 가져왔다. 핸드폰은 마음에 들었다. 크기는 노트와 비슷했지만, 덜 무거웠다.

핸드폰을 바꾸어도 연락처를 비롯해 갤러리, 문자, 앱, 카카오톡 등 모든 것이 그대로 다운로드 되니 너무 좋았다. 다운로드 되기 전에 먼저 안 쓰는 앱을 삭제하였다. 앱이 정말 많았다. 약 50% 정도를 삭제하고 나니 간단해졌다. 집도 한 번씩 이사해주면 안 쓰는 물건도 버리고 새로 깔끔하게 정리되듯 핸드폰도 마찬가지인 것 같다. 갤러리 사진도 정리하고 카톡방도 정리하며 나름 속이 시원해지는 기분이다. 그동안 잠금장치를 패턴으로 하다가 이번에는 아들이 지문으로 하면 편하다고 해서 지문으로 등록했더니 정말 편리했다.

아들 말 듣기를 정말 잘했다.

핸드폰을 새로 바꾸긴 했지만, 이전에 사용하던 노트와 비슷해서 어려움은 없다. 필요한 것은 아들이 다 설치해주고 수정해주었기 때문이다. 다만 핸드폰 요금이 문제다. 핸드폰 기깃값이 이렇게 비싼지 몰랐다. 그리고 6개월 정도는 요금제도 조금 비싼 것을 써야 할인받는다고 해서 6개월 정도는 핸드폰 요금을 이전보다 몇 배는 많이 내야 할 것 같다. 여러 가지 혜택으로 기깃값은 130만 원에서 아주 많이 낮추어졌다고 한다. 요금은 많이 내겠지만, 데이터도 빠르고 키보드도 새 핸드폰이 좋긴 하다.

글쓰기 플랫폼 브런치를 하면서 핸드폰으로 글을 많이 쓴다. 컴퓨터에서도 쓰긴 하지만, 컴퓨터보다는 언제 어디서든 시간만 있으면 쓸 수 있어서 핸드폰이 더 가까운 친구가 되었다. 새 핸드폰으로 글을 쓰니 글도 술술 잘 써지는 것 같다. 사람 마음이 이렇게 간사하다. 새 핸드폰으로 바꾸었으니 글도 열심히 써야 하는데 요즘 글 쓰는 것이 신나지 않는다.

브런치 작가 5개월 정도 되니 가끔 작가님들 글에서 봤던 글태기가 조금 오려고 한다. 조회 수도 늘어나서 5개월 만에 10만 명이 조금 넘었다. 이게 많은 건지 적은 건지는 모르겠지만, 5개월 동안 10만 명 이상이 내 글을 읽어주었다고 생각하면 너무 감사하다. 감사한 마음을 글로 보답해야 하는데 요즘 감정이 조금 메말라 가는 느낌이다. 새로 바꾼 핸드폰으로 글태기도 물리치고 좋은 글이 써지길 기대한다. 예전처럼 글 쓰는 일이 매일매일 즐거움으로 다가오고 글 쓰는 것이 가장 신나는 일이 될 수 있기를 바란다. 새 핸드폰이 꼭 그렇게 해줄 거라고 믿는다.

어제 롯데 마트에 갔다. 이전에 사용하던 앱이 새 핸드폰으로 다 옮겨와서 그대로 있을 줄 알았다. 하지만 없었다. 오늘따라 오랜만에 방문하여 물건을 많이 샀다. 롯데 앱을 켜야 할인도 받고 포인트도 저장할 수 있는데 그냥 버리기가 아까워 아이디와 비밀번호를 입력했지만, 안 되었다. 결국 1층 고객센터에서 직원이 찾아주어서 결재까지 완료할 수 있었다.

핸드폰을 바꾸면 여러 가지 번거로움이 생긴다. 그래서 자주 바꾸지 않는다. 나이 드니 이런 일들이 번거롭다. 은행 앱도 다시 인증받아야 하고, 쓰던 앱 중에 자동으로 삭제되는 것도 있어 한동안은 번거로움이 있을 것 같다.

새로 바꾼 핸드폰을 조심해서 오래 사용하려고 한다. 새로운 모델이 나와도 고개도 돌리지 않겠다. 사용할 수 없을 정도로 망가지지 않으면 아껴서 오래 사용하리라 다짐해본다.

물건도 사람도 오래된 것이 좋다. 그건 익숙함 때문이다. 새로 바꾼 핸드폰도 오래 사용하고 오래 만나기를 기대해 본다.

내 꿈에 작은 희망 하나 얹기

6학년 도덕 수업에 '6. 함께 살아가는 지구촌' 단원이 있다. 지구촌에는 전쟁, 질병, 자연재해, 굶주림, 환경파괴 등 다양한 어려움이 있다. 그래서 지구촌의 다양한 어려움을 해결하려는 사람들도 많이 있다. 지난주 봉화 광산 매몰 사고로 갱도에 갇힌 분들을 구하려고 동료를 비롯한 많은 분의 노력으로 두 분이 기적적으로 구출된 사건만 보아도 알 수 있다. 9일 221시간 동안 흙더미로 매몰된 갱도에 갇혔지만, 매뉴얼을 준수하고 침착하게 행동했기 때문이라고 한다. 정말 다행이다. 너무 감사하다. 좋은 소식을 전해주셔서 우리가 희망을 품을 수 있었다.

오늘은 행복한 지구촌을 만들기 위해 '티끌 모아 태산' 활동을 하는 날이다. 활동 전에 영상을 하나 시청했다. 2018년 굿 네이버스의 희망 편지 쓰기 관련 영상이다. 퇴직 전에 굿네이버스 교육위원으로 5년 정도 활동해서 굿네이버스에 남다른 애정을 품고 있다. 굿네이버스는 어려운 이웃을 돕는 활동도 하지만, 학교에 학생인권교육, 학교폭력예방교육, 학생 리더 교육 등 많은 교육 프로그

램도 제공해 준다. 수업 시작 도입부에 학생들에게 빌 게이츠의 기부를 소개하며

"오늘 수업을 마치면 여러분의 많은 꿈 중에 기부를 많이 할 수 있는 사람이 되겠다는 꿈 하나를 얻기를 바랍니다."

라고 말해 주었다. 꿈은 하나가 아니고 여러 개니까 기부의 꿈을 어릴 때부터 생각해 보는 기회가 되어도 좋을 것 같아서이다.

오늘 영상은 '우간다 열 살 소년 사이먼' 이야기다. 사이먼은 8세에 채석장에서 일하다가 채석장 먼지로 기침을 많이 하던 아빠가 돌아가시며 혼자 일하는 엄마를 도와 아빠가 일하던 채석장에서 학교를 그만두고 일한다. 집보다 큰 바위를 망치로 깨서 주먹보다 작게 만드는 일을 한다. 하루 10시간을 일해도 고작 버는 돈은 200원이라고 한다. 그 돈은 가족의 먹을거리를 해결하기에도 너무 적은 돈이다. 찢어진 옷을 입고 신발도 없이 채석장에서 엄마와 일하는 사이먼이 너무 안쓰러웠다.

축구를 좋아하던 사이먼의 희망은 학교에 돌아가서 의사가 되는 거다. 의사가 되어 다친 엄마 손을 고쳐드리고 싶다고 했다. 사이먼은 가족들(엄마와 동생 네 명) 때문에 일한다고 했다. 일은 하지만 동생들을 마음껏 먹일 수 없어서 슬프다고도 했다. 그러나 손잡고 함께 걸어갈 수 있는 가족이 있기에 힘든 일도 이길 수 있다고 했다. 고작 10살인데 이미 철이 다 들어버렸다.

사이먼은 '쉴 수 없는 망치질 그 끝에 희망이 있을까요?'라고 스스로 묻는다. 사이먼의 눈물이 비가 되어 내린다. 언제 이 슬픔이 끝날까요? '사이먼은 희망을 잃은 아이 같지만, 희망을 품고 싶은

아이'라고 생각한다. 굿네이버스 희망 편지 쓰기로 도움을 받아서 사이먼이 다시 학교로 돌아갔다고 들었다. 집도 다시 벽돌로 지어주고 엄마도 채석장이 아닌 농사일을 하게 되어 정말 잘 되었다. 지금은 14살이 되어 학교에도 잘 다니고 행복하게 지낼 거로 생각한다. 다음 시간에 굿네이버스에서 전해 들은 사이먼 이야기를 들려주려고 한다.

(굿네이버스에 연락하여 메일로 사이먼의 소식과 영상을 받았음)

그다음 주 도덕 시간에 다음 편 영상을 본 후에 6학년 학생들의 가슴에 기부의 가랑비가 조금 내렸다.

수업 시간에 '티끌 모아 태산' 활동을 하였다.

(6학년 도덕 교과서 자료)

500원 - 편하게 걸을 수 있는 신발 한 켤레를 선물할 수 있다.
1,000원 - 어린아이의 꿈을 키우는 책 한 권을 선물할 수 있다.
2,000원 - 친구 한 명이 맛있는 점심을 먹을 수 있다.
10,000원 - 친구 한 명이 한 달 동안 학교에 다닐 수 있다.

정말 적은 돈으로 지구촌 이웃을 도울 수 있다는 이야기에 학생들이 놀랐다. 1주일 동안 지구촌 친구에게 필요한 것을 선물하기 위해 실천할 방법을 한 가지씩 정해 실천해 보기로 하였다. 부모님 심부름으로, 또는 아이스크림을 사 먹지 않고 모은 돈으로, 용돈을 쓰지 않고 모아서 본인이 선택한 선물을 마련해 보는 활동이다. 물론 가상이지만 1주일 동안 꼭 실천해 보기로 약속했다.

담임이라면 모인 돈으로 초록 우산 어린이 재단이나 원하는 곳에 기부하여 도움을 주고 싶지만, 시간 강사라 그렇게 하기에는 한계가 있어서 우선 기부할 돈을 모아서 가지고 있으라고 했다.

6학년 담임선생님과 협의해서 기부를 실천하거나 학급 어린이 회의를 통해 학생 스스로 기부 방법을 찾아 이번 기회에 기부의 즐거움을 느껴보아도 좋을 것 같다. 기부를 실제로 하지 못해도 기부에 대해 생각해 보는 시간만으로도 반은 성공한 수업이라고 생각한다. 지구촌 어려운 사람을 도울 수 있는 마음가짐으로 나눔, 인류애, 배려, 존중 등을 꼽았다. 이런 마음을 귀히 여기고 세상을 살아간다면 분명 아름다운 사회가 될 것이다. 아름다운 사회에서 살아가는 사람들도 행복할 것이다. 우리 사회가 이런 사회였으면 좋겠다.

내 꿈 한 자리에도 기부의 꿈이 얹어있다. 많은 돈을 기부하진 못하지만, 매달 조금씩 기부하고 있다. 많은 도움이 되진 않겠지만, '티끌 모아 태산'이라고 하고 '백지장도 맞들면 낫다'라고 하니 그래도 도움이 되었으면 한다. 받는 것도 기쁘지만, 주는 것이 더 즐겁다는 것은 경험을 통해 느낀다.

6학년 학생들이 한 시간의 수업이지만, 나보다 어려운 이웃을 도와주려는 마음이 생기고 기부를 소중하게 생각하는 시간이 되었으면 한다. 그리고 주변에 있을 다문화 학생도 우리와 똑같은 사람임을 알고 동등하게 대하길 바란다. 더 나아가 꿈도 자라고 마음도 자라 지구촌 이웃을 사랑하는 청소년이 되길 응원한다. 더불어 부모님께 감사하는 아들딸이 되기를 기대하며 수업을 마쳤다.

길을 잃지 않고 바른길로 나아가길 나 자신에게도 응원을 보내본다. 오늘 수업을 끝내며 마음이 편안하다. 내용도 내용이지만, 1시간 수업 분량을 적절하게 안배한 수업이라 그런 거 같다. 역시 사전에 수업 계획을 꼼꼼하게 세운 결과이다. 교사는 계획한 대로 수업이 잘 끝나면 행복하다. 오늘 내가 그렇다.

안전 지킴이 옐로카펫

옐로카펫은 어린이들이 횡단보도를 건너기 전 안전한 곳에서 기다리게 하고 운전자가 이를 쉽게 인지하도록 바닥 또는 벽면을 노랗게 표시하는 교통안전 설치물을 말한다.

옐로카펫은 횡단보도 진입부 바닥부터 벽면까지 원뿔 형태로 설치되며, 야간 조명용 태양광 램프가 설치돼 밤에도 보행자가 쉽게 눈에 띈다.

2021년 5월 인천 서구에서 네 살 자녀를 유치원에 등원시키다가 좌회전하는 차량에 치여 30대 엄마가 숨진 사고가 있었다. 이곳은 아동 보호구역으로 신호등이 없는 횡단보도에서 일어난 사고이다. 지금 시간 강사로 나가는 학교에서 아주 가까운 곳이다. 운전자는 사고 발생 3일 전에 왼쪽 눈을 수술해 시력이 회복되지 않은 상태에서 길을 건너던 모녀를 미처 발견하지 못했다고 진술했다. 해마다 안전해야 할 스쿨존에서 많은 사고가 발생한다.

아동 보호구역 사고 발생을 줄이기 위해 민식이법이 법안으로 발의되어 시행되고 있다. 민식이법은 2019년 9월 충남 아산의 한 어린이 보호구역(스쿨존)에서 교통사고로 사망한 김민식 군(당시 9

세) 사고 이후 발의된 법안으로, 2019년 12월 10일 국회를 통과해 2020년 3월 25일부터 시행됐다. 법안은 '어린이 보호구역 내 신호등과 과속단속카메라 설치 의무화 등을 담고 있는 도로교통법 개정안'과 '어린이 보호구역 내 안전 운전 의무 부주의로 사망이나 상해사고를 일으킨 가해자를 가중 처벌하는 내용의 특정범죄 가중처벌 등에 관한 법률 개정안' 등 2건으로 이뤄져 있다.

아침에 출근하며 초등학교 앞 레드카펫을 본다. 레드카펫은 멀리서도 잘 보여 초등학교 앞임을 알 수 있다. 요즘 사거리는 한 번에 대각선으로도 길을 건널 수 있게 되어 있어 편리하다. 안전하게 건널 수 있도록 녹색 신호도 길고 음성 안내도 나온다. 신호등에 남은 시간도 숫자로 알려준다. 30초 정도가 남으면

"다음 신호에 건너세요"

라고 안내하지만 기다리지 않고 건너게 된다. 30초는 길을 건너기에 충분한 시간이기 때문이다.

신호가 길기에 건너는데 여유가 있다. 그런데 가끔 보면 배달 오토바이가 녹색 불에도 지나가는 것을 본다. 아찔할 때가 많다. 물론 좌우를 살피고 운전하겠지만, 혹시라도 건너는 사람과 부딪힐까 봐 불안하다. 사고는 예고가 없다. 예고가 없기에 늘 교통 규칙을 지키고 조심해야 한다.

초등학교는 학생 등하교 시간이 늘 걱정이 된다. 녹색 어머니가 교통안전 지도를 해주고 구청에서 어르신 안전 지킴이도 배치해 준다. 녹색 어머니 활동은 예전에 비해 많이 축소되었다. 학부모님께

서 아침 일찍 나와서 봉사하는 것이 힘들기에 학교마다 녹색 어머니 인원수를 줄이고 있다. 대신 지자체에서 노인 일자리 창출로 어르신 안전 지킴이 배치를 늘리고 있다. 어르신들이라 어르신 안전도 염려는 되지만, 그나마 어르신이라도 등굣길 곳곳에 서서 학생들이 안전하게 길을 건널 수 있도록 도와주시는 것은 감사하다.

등교 시간에 비해 하교 시간에는 교통지도를 해주는 분이 없어서 학생 스스로 길을 살피고 잘 건너야 한다. 하교 시간이면 교문 앞이 늘 붐빈다. 자녀를 데려가려는 학부모님 때문이다. 위험에 노출된 자녀를 보호하려는 부모님 사랑이라고 생각한다. 부모가 데리러 오지 않는 학생들은 스스로 길을 잘 건너야 한다. 학교에서는 안전 교육을 의무적으로 하게 되어 있다. 특히 1, 2학년에는 '안전한 생활' 교과서가 있어 안전 수업 시간이 1주일에 한 시간 따로 있다. 학생들에게 그만큼 안전은 중요하고 반복 교육이 필요하다.

어린이 보호구역 운행 제한속도는 시속 30km다. 정말 기어가듯 천천히 운행해야 한다. 몇 년 전에 어린이 보호구역에서 속도위반 통지서를 받은 적이 있다. 그 길은 평소에는 지나가지 않는데 주유하는 날만 초등학교 앞 어린이 보호구역을 통과한다. 어린이 보호구역 사거리에서 신호등이 황색이라 멈춰야 하는데 신호위반으로 카메라에 찍힐까 봐 빨리 통과하다 보니 순간 45km로 속도가 올라간 것 같다. 벌금을 내고 벌점 15점도 받았다. 황색 신호는 위반이 아니었고 속도위반이 문제였다. 남편은 학교 앞 어린이 보호구역 대신 조금 돌아가도 다른 곳으로 다닌다. 나는 골목길을 좋아하지 않아서 학교 앞 어린이 보호구역을 지날 때마다 신경 써서 정신 차리고 조심해서 운전한다. 속도위반은 두 번 다시 없을 거다.

그 일 이후로 운전할 때 황색 신호에도 꼭 멈춘다. 교통사고는 과속과 신호위반을 하지 않으면 큰 사고는 안 난다고 생각한다. 남편은 늘 방어 운전을 해야 한다며 내가 운전하는 것을 불안해한다. 출근할 때는 학교에 도착하면 꼭 전화하거나 카톡으로

"잘 도착했어요"

하고 보고 아닌 보고를 해야 했다. 도착했다는 말을 들어야 안심이 된다고 한다. 운전한 지 20년 정도 되었지만, 접촉 사고는 뒤쪽 차에서 받친 적이 한 번 있고, 속도위반이나 신호위반 등 과태료를 낸 적은 거의 없다.

그래도 늘 운전은 자신이 없다. 요즘 퇴직한 후로는 운전할 일이 별로 없다. 대부분 지하철이나 버스를 타고 다닌다. 운전을 자주 안 하니까 운전이 더 어색하다.

교통사고가 줄어들길 바란다. 요즘도 가끔 뉴스에서 어린이 보호구역 사고를 본다. 그럴 때마다 마음이 아프다. 운전하는 어른들이 조금 더 주의하고 신경 썼으면 좋겠다. 특히 어린이 보호구역에 주차하는 것도 삼가야 한다. 주차된 자동차 때문에 달려오는 차를 보지 못해 사고가 나는 경우가 많다. 늘 좌우를 잘 살피고 천천히 운전하여 어린이 교통사고가 일어나지 않도록 우리 모두 조심해야겠다.

공모전의 유혹

　어느 날 시 강의를 듣다가 공모전 사이트를 알게 되었다. 잊지 않으려고 메모해 두었다가 한가한 어느 날 PC로 찾아보았다. '엽서시' 사이트다. 엽서시에는 거의 모든 공모전이 안내되어 있었다.

　공모전을 검색하던 중 일주일 정도 기간이 남아 있는 신인 문학상 공모전에 시 3편을 보냈다. 그냥 내가 지은 시가 어떻게 평가될까 궁금해서다. 그런데 생각지도 않았는데 시 부문 신인상 수상자가 되었다. 사실 내가 공모전에 관심을 두게 된 것은 그때부터이다. 등단 시인이기에 신인상 공모전은 자격이 없어졌다. 하지만 수필 부문에는 공모가 가능해서 몇 군데 공모해 보았다. 지금 와서 생각하면 신인 문학상 공모전에 공모할 때 조금 신중하게 알아보고 하면 좋을 것 같다. 작가로서 호적과 같은 거로 생각한다.

　물론 한 명 정도를 수상자로 선정하는 공모전에 입상한다는 것은 하늘의 별 따기와 같다. 특히 상금이 있는 공모전은 경쟁력이 더 크다고 생각한다. 안 될 걸 알면서도 공모전은 늘 유혹이 있다. 시든 수필이든 도전해 보고 싶은 유혹을 거절할 수 없다. 공모전에 공모하려는 작품은 ON, OFF Line에 발표한 작품은 공모할 수 없다. 그래서 작품을 새로 써야 한다. 그렇기에 공모전에 수상이 안

된다고 해도 얻는 것은 있다고 본다. 평소에 쓰던 글보다 좀 더 신중하게 쓰기에 그만큼 내 글쓰기가 향상된다고 믿는다.

공모전 응모 방법도 다 달라서 공모하는 기관에 맞추어 글 길이도 조절하고 주제도 선정해야 한다. 난 가끔 새로 글을 쓰기도 하지만, 브런치에 발행한 글을 삭제하여 수정하기도 한다. 이런 일은 흔치 않지만, 주제가 공모전과 맞을 때다. 물론 한 번도 당선되지 못했다. 하지만 공모전에 작품을 제출하고 기다리는 한 두 달은 늘 설렌다. 공모한 글을 작가의 서랍에 담아놓고 가끔 읽어보며 부족함도 느끼지만, 공모전에 떨어지면 브런치에 발행하면 되니까 떨어진다고 그렇게 서운하지는 않다. 글 쓰는 사람이 많고 훌륭한 기성 작가님도 너무 많기에 공모전은 나를 성장시키는 발판으로 삼으려고 한다.

모든 운동에는 구력이 있고 모든 일에는 경력이 있듯이 글쓰기에도 연륜이 필요하다. 글을 꾸준히 쓰다 보면 연륜이 생기고 글 힘도 생겨 단단한 글쓰기가 되면 공모전에 기대를 걸어 볼 수 있을 거다. 지금은 열심히 글 쓰는 일이 나의 본분이다.

브런치에 올리는 시는 무거운 시보다는 따뜻한 시가 좋은 것 같다. 읽는 사람에게 미소를 짓게 하는 그런 시, 시를 읽고 행복이 전달되는 그런 시가 좋다고 생각한다. 그러나 공모전에 제출하는 시는 그 무게가 다르게 써야 하는 것 같다. 공모전에 제출한 시를 브런치에 발행할까 망설일 때가 있다. 그러다 발행하지 못하고 서랍에 쟁여둔다.

시간이 있을 때 늘 시 강의를 듣는다. 시 강의를 들으며 나를 조금씩 성장시킨다. 지금 쓰는 시는 초등학생 수준이라고 생각한다. 몇 년 쓰다 보면 좀 더 무게감 있는 시를 쓸 수 있으리라.

브런치에 매일 일상을 글로 쓰고 있다. 과거의 나를 쓰기도 하고 현재의 나를 쓰기도 한다. 그러다 가끔 미래의 나를 상상해 보기도 한다. 퇴직하고 브런치 작가를 하지 않았다면 일상이 얼마나 심심했을지 상상이 안 간다. 브런치가 나를 살렸다. 글을 쓰면서 작은 일에도 의미를 부여하고 친정어머니와 손자, 아들과 며느리, 남편에게서 글감을 얻는다. 그래서 더 고맙고 잘해주고 싶다.

오늘도 엽서시에 많은 공모전이 올라와 있다. 한 마디로 신춘문예 시즌이다. 신춘문예는 그림의 떡이다. 감히 도전해 볼 생각조차 못한다. 하지만 지나가면 너무 서운할 것 같아 신춘문예에 제출할 시를 지어본다. 아주 인기가 적을 것 같은 곳에 보내려고 한다. 그냥 경험이고 도전해 보았다는 나만의 만족이라고 여길 것이다. 나는 공모전 작품을 메일로 보내는 것이 좋다. 하지만 대부분의 공모전은 우편으로 응모해야 한다. 일부러 우체국까지 가서 등기 우편으로 보내야 하기에 매우 번거롭다. 몇천 편의 작품이 응모되니 일일이 메일로 받아 출력하기는 힘들 것 같다.

글을 쓰시는 작가님이라면 나처럼 공모전의 유혹을 뿌리치긴 어려울 것 같다. 공모전에 작품을 제출하며 성장해 가는 나를 본다. 시 몇 편, 수필 몇 편이 바로 내 인생이기에 앞으로도 나의 도전은 계속될 거다. 다른 작가님들의 작품을 읽으며

"맞아, 수필은 이렇게 감동을 주어야 해."

"어쩜, 문장 하나하나가 시네. 언어가 이렇게 아름다울 수가 있지."

하며 매일매일 배운다.

공모전에 크게 가치를 두지 않으면 떨어졌다고 크게 스트레스를 받거나 실망하는 일은 없을 거다. 떨어진 것이 당연하니까. 조금 서운함은 있을 수 있지만, 그건 순간이라 금방 잊어버리기에 오늘도 엽서시 사이트를 살펴본다.

나도 언젠가는 공모전에서 수상할 날이 오기를 간절하게 기다리며, 오늘도 도전할 공모전이 있는지 찾아본다.

오늘 이태석 신부님이 나를 울린다

시간 강사가 11월 중순에 끝난다고 해서 계약했었다. 선생님께서 병가를 들어가야 하는데 강사를 구하지 못해 걱정이 많다는 이야기를 듣고 정말 봉사한다는 마음으로 시작했다. 그런데 선생님께서 아직 출근하기 어렵다고 병가를 한 달 연장하였다. 딱 이 정도 두 달만 하면 좋았는데 한 달을 더 다녀야 한다는 것이 매우 부담스러웠다. 하지만 가르치던 학생들을 두고 못 한다는 말이 나오지 않았다. 나는 그래도 사명감이 투철한 선생님이었으니까. 강사 계약을 12월 말까지 하게 되어 계속 출근 중이다

오늘 5학년 도덕 수업이 있었다. 인권 단원 마지막 차시로 인권을 위해 노력한 사람 소개로 '수단의 슈바이처 고 이태석 신부님' 영상을 보았다. 이전에도 '울지마 톤즈' 영상을 보았지만, 오늘은 영상을 보다가 울컥하였다. 목소리가 울먹울먹 말이 순간 안 나왔다. 몇몇 아이들도 감동한 것 같다.

이태석 신부님은 10남매 중 아홉째로 태어났다. 아버지가 일찍 돌아가셔서 어머니가 바느질로 10남매를 키우셨다. 인제대학교 의과대학을 졸업하고 2001년 군의관으로 군 복무하던 시절 의사를

포기하고 사제가 되었다. 가톨릭교회 살레지오의 사제 제임스 신부가 의사를 찾던 중 의사 출신 사제 이태석 신부를 알게 되었다. 소개 자료로 한센병에 걸린 사람들 이야기를 신부님께 보냈다. 당연히 오리란 기대는 하지 않았다.

그러나 이태석 신부님은 아프리카로 날아가셨다. 먼저 케냐의 나이로비에 도착하였지만, 번화한 곳에 실망하고 더 가난한 수단으로 가셨다. 당시 톤즈는 석기시대에 사는 사람들 같았다. 오염된 물을 마시고 병에 걸려도 무슨 병인지 어떻게 치료해야 하는지도 모르고 죽어갔다.

한센병 환자를 치료하며 함께 손잡고 사람들을 만났다. 초기 움막 진료소가 유일한 병원이었는데 톤즈에 의사가 있다는 소문을 듣고 100km 떨어진 곳에서도 며칠을 걸어서 찾아왔다. 병원이 필요했다. 주민들과 함께 직접 벽돌을 만들어 2년 만에 12개 병실이 있는 돈보스코 병원을 지었다. 하루에 300명 이상의 환자를 돌봐야 했다. 수단에는 그 당시 말라리아, 결핵, 한센병 환자가 가장 많았는데 늘 의약품이 부족하였다. 특히 항생제가 가장 많이 필요한데 비싸서 많이 구입하지 못하는 것이 안타까웠다.

한센병 환자들은 발이 다 다르다. 한 사람이지만 오른발 왼발이 달랐다. 일일이 발을 그려 케냐에 신발을 주문해서 세상에 하나뿐인 자신만의 신발을 만들어 신겼다. 맨발로 다녀 상처투성이던 발에 신발을 신겨 주었다. 너무나 감동이 되었다.

그러던 중 2008년 10월에 휴가를 얻어 귀국하여 순천향병원에서 건강검진을 하였다. 대장암 말기 판정을 받았다. 병에 걸려 가장 낙

담이 되는 것은

"내 삶의 마감이 아니라 톤즈로 돌아가지 못하는 안타까움이다."

라고 하시며 톤즈로 가시겠다는 것을 가족들이 설득해서 겨우 말렸다. 항암치료를 열 번이나 받았지만 2010년 1월에 향년 48세에 젊은 나이에 영면에 들었다. 세상 떠나기 전 가장 마음에 걸리는 사람이 '어머니'라고 하셨다. 어머니께서는 바느질로 10남매를 키우셨다. 의대를 보내주셨는데 한 번도 장학금을 받지 못했는데도 원망을 안 하셨다. 의사의 길을 버리고 사제의 길을 가겠다고 했을 때도, 사제가 되어 먼 이국땅 아프리카로 떠나겠다고 했을 때도 말 없이 눈물로 허락하셨던 분이다. 그래서 암 투병 사실도 알리지 못했다. 훌륭한 어머니가 이태석 신부님을 만드셨다는 생각이 들었다.

신부님은 투병 중에 유일한 저서 『친구가 되어 주실래요』를 집필하셨다. 학교 도서실에서 이 책을 빌려왔다. 책을 읽으며 이태석 신부님의 톤즈 사랑을 더 깊게 느낄 수 있었다. 전쟁으로 폐허가 된 학교를 다시 수리하여 학교를 만들어 하루 종일 할 일이 없어 빈둥빈둥 노는 젊은이들을 학교로 불러 모았다. 35조 브리스 밴드를 만들어 대통령 환영 행사에 참석하고, 멀어서 병원에 오지 못하는 사람들을 위해 매주 먼 곳의 숲속 마을로 진료를 나갔다.

신부님은 노래도 잘 부르고 풍금도 잘 친다. 음악에 대한 사랑이 있으셨다. 피아노를 배우고 싶었지만, 가난해서 렛슨을 받을 수 없어 성당에 있는 풍금 연습으로 피아노를 대신했다. 그것이 톤즈 아이들에게 음악을 가르치게 된 씨앗이 되지 않았을까 하는 생각이 들었다. 톤즈 아이들은 하나님께서 미리 음악에 대한 달란트를 주셨다고 하셨다. 걱정했던 것보다 악기를 너무 빨리 습득하여 놀랐다. 합주 연습 후 나흘째 되는 날 첫 합주곡을 다 같이 연주해 냈다고 한다.

아이들은

"총과 칼들을 녹여 그것으로 클라리넷과 트럼펫을 만들면 좋겠다."

라고 말한다. 이것을 보며 신부님은 아이들의 눈망울 속에서 음악을 통해 활동하시는 주님의 흔적을 진하게 느낄 수 있었다고 하셨다.

아프리카 형제자매를 만나기 시작하면서 그들과의 만남을 통해 모든 인간을 철저하게 사랑하시는 하나님을 발견하기도 하고 때로는 새로운 '하늘나라 수학'을 배우기도 하셨다. 가진 것 하나를 열로 나누면 우리가 가진 것이 십 분의 일로 줄어드는 속세의 수학과는 달리 가진 것 하나를 열로 나누었기에 그것이 '천'이나 '만'으로 부푼다는 하늘나라의 참된 수학, 끊임없는 나눔만이 행복의 원천이 될 수 있다는 행복 정석을 그들과의 만남을 통해서 배우게 되었다고 하셨다.

이태석 신부님에게서 낮은 곳을 향한 섬김을 배운다. 하나님께서 늘 우리와 함께하시며 도와주심을 느낀다.

이번 추수감사절에 우리 교회 나눔 물품도 코로나 중이지만, 다른 해보다 더 많이 쌓였다.

우리 교회는 추수감사절에 성도님들이 자발적으로 참여하여 나눔 물품을 기증한다. 나눔 물품으로는 쌀이 가장 많았고 다양한 과일들이 종류별로 있다. 추수감사절에 단상 아래에 쌓아놓았다가 예배가 끝나면 지역의 어려운 이웃에게 모두 나누어 드린다. 매년 12월에는 교회 카리스 카페에서 일일 찻집을 운영하여 얻은 수익금을 지역 학교의 어려운 학생들에게 장학금을 수여하고 구청과 행복 복지센터의 도움을 받아 나눔과 섬김, 돌봄을 실천한다. 그리고 지역의 작은 교회에도 도움의 손길을 준다.

오늘은 따뜻한 고 이태석 신부님 영상으로 지구촌의 어려움을 생각해 보는 시간이 되었다. 나부터 나눔과 섬김, 돌봄을 실천하려고 좀 더 노력해야겠다. 우리 사회가 따뜻한 이웃이 되기를 바란다.

그리고

오늘 수업에 참여한 6학년 학생들도 내가 할 수 있는 나눔과 기부를 실천하는 마음이 따뜻한 사람으로 자랐으면 좋겠다.

황금보다 더 귀한 '지금'

세상에서 가장 소중한 금 세 가지는 황금, 소금, 지금이라고 한다. 이 중에서 가장 귀한 것은 무엇일까. 사람마다 기준이 다르겠지만 대체로 젊었을 때는 황금을 소중하게 여겨 황금을 좇는다.

사람들은 황금을 얻기 위해 다양한 방법으로 노력한다. 열심히 일해 받은 월급을 차곡차곡 모아 저축하는 사람. 부동산에 투자하여 부동산 부자가 되는 사람. 주식이나 펀드에 투자하여 큰 이익을 얻은 사람. 조상을 잘 두어 조상이 물려준 땅이 개발되어 많은 보상금을 받는 사람. 사업을 잘해서 큰돈을 버는 사람. 가끔 로또에 당첨되어 많은 황금을 얻은 사람도 있겠다. 정말 황금을 얻는 방법은 다양하다. 사람들은 말한다. 황금은 쫓아다니면 도망가고 황금이 따라와야 한다고.

여러분은 어떤 방법으로 황금을 좇았나요. 난 정말 바보였는지 욕심이 없었는지 일해서 받은 돈을 그저 조금씩 저축해서 아이들 먹이고, 공부시키고, 장가도 보냈다. 그냥 그것뿐이다. 주식 투자도 못하고 부동산 투자도 안 했다. 그저 월급으로 집 한 채 사서 살고 있고 이제부터 연금으로 생활해야 한다. 물려줄 재산이 많지 않아 자식들에게 조금 미안하지만, 자식들도 받을 재산이 없으니 열심히 저축하며 잘 살 거라고 믿는다. 황금이 많지 않아 한 가지 아쉬운 것은 기부하며 살고 싶은 내 꿈을 이루지 못한 거다. 내 형편에 맞게 아주 작은 기부를 하고 있다. 아직은 그걸로 만족하고 있지만, 기회가 된다면 기부도 늘리고 어려운 이웃을 위해 봉사도 하고 싶다.

요즘 나이가 들면서 예전에 몰랐던 '지금'의 소중함을 느낀다. 지금은 다시 돌아오지 않는다. 황금이 아무리 많아도 지금 행복하지 않으면 그 황금이 무슨 소용 있겠는가. 지금 건강하지 않으면 황금을 쓸 기회도 없다. 음식의 맛을 내는 데 없어서는 안 되는 소금도 중요하지만, 소금은 황금으로 살 수 있고 지금은 황금으로도 살 수 없기에 세 가지 금 중에서 가장 귀한 금은 지금이라고 생각한다.

젊었을 때는 멋진 미래를 꿈꾸며 지금은 조금 힘들어도 열심히 노력하면 멋진 미래가 펼쳐질 거로 생각하고 모든 걸 참고 견딘다. 시간이 아까운 것도 모르고 흘려보내기도 하고 결혼 후에는 자식을 위해 하고 싶은 일도 마음속에 품고 포기한다.

얼마 전에 결혼식에 갔다가 들은 주례사가 인상 깊다.

지금, 이 순간 현재에 충실하며 즐겁게 살아가라는 것입니다.
너무 미래를 걱정하거나 미래에 매달려서 살아가기보다는 현재를 소중히 여기되 남과 비교하지 말고, 서로 섬기며, 나누며, 돌보며, 늘 감사하면서, 기도하는 결혼 생활이 되었으면 좋겠습니다.

꼭 지금의 나에게 하는 말 같았다. 주례사를 들으며 나도 그렇게
살아야지 다짐했었다.
황금보다 귀한 금 '지금' 어떻게 살아야 할까.
항상 즐거운 마음으로 모든 것을 긍정적인 시선으로 바라보고
범사에 감사하며 살려고 한다.
나이가 들면 욕심도 줄어든다. 밥 욕심, 옷 욕심, 돈 욕심 등 물
질에 대한 욕심은 줄어드는 것이 확실하다. 대신 건강 욕심, 자식
욕심, 운동 욕심 등 마음을 채워줄 욕심은 늘어난다. 바람직하다고
생각한다. 그저 배가 고프지 않을 정도의 재산이 있으면 되고, 명절
에 쓸쓸히 보내지 않을 만큼의 자식이 있으면 되고, 혼자 걸을 수
있을 정도의 건강만 있으면 된다. 그냥 그것뿐이다.

이제 만 62세에 정년퇴직도 하였다. 그동안 공붓벌레, 일벌레로
살았으니 이제 조금 게을러져도 말할 사람이 없을 것 같다. 그저
하루하루 욕심부리지 말고, 건강이 허락하는 범위에서 해야 할 일
을 미루지 말고, 하고 싶은 일도 포기하지 않고 그렇게 살기로 했
다.
세상에서 가장 귀한 '지금'은 다시 찾아오지 않는다.
지금은 오늘 하루뿐이다. 오늘이 내 생애 가장 젊은 날이다. 가장
젊은 지금을 맘껏 누리리라.

일흔 살 내 남편은 1부 성가대 대장님

　일흔 살 남편은 1부 성가대 대장님이다. 그것도 8년 차 대장님이다. 주일이면 매일 새벽 다섯 시에 일어나 제일 먼저 교회에 도착하여 교회 문을 연다. 성가대 대원들이 도착하기 전에 완벽하게 연습 준비를 해둔다. 나이도 많은데 힘들다고 한 번도 게으름 피우지 않고 팔 년째 하고 있다.

　우리 교회 1부 성가대는 7시 30분 1부 예배 때 찬양하므로 부지런하지 않으면 할 수 없다. 늦어도 6시 30분까지 교회에 도착해야 해서 준비하고 가려면 여자 대원들은 적어도 5시 30분에는 일어나야 가능한 일이다. 성가대 대원으로 의욕을 가지고 들어왔다가 몇 번 연습하다 보면 힘들어서 그만두는 성도도 많다. 1부 성가대 대원들은 정말 믿음이 좋은 분들이라고 생각한다. 나도 2년 반 정도 남편을 따라 1부 성가대를 섬겼다. 나는 노래를 잘 부르지 못한다. 세상에서 가장 자신 없는 것이 노래 부르는 거였지만, 성가대를 하며 발성 연습도 하고 찬양을 많이 부르다 보니 노래가 조금씩 늘었다. 이제 배에서 소리 내는 것도 알 것 같고 예전에 비해 정말 노래가 많이 느는 것을 느낀다. 성가대를 하며 초등부 교사도 겸하였었는데 쌍둥이 손자가 태어나면서 육아로 그만두게 되어 아쉽다.

1부 성가대 대원 수는 늘 늘었다 줄기를 반복하지만, 지금은 30명에서 35명 정도 유지된다. 40명 정도까지 된 적도 있지만, 일찍 나오는 것이 힘들다 보니 2부나 3부 성가대로 가는 분들이 있어서 찐 믿음을 가진 분들만 남았다. 남편이 성가대 대장을 하면서 힘든 점은 지휘자가 사정이 생겨서 그만둘 때인 것 같다. 벌써 팔 년 동안 다섯 명이나 지휘자가 바뀌었다. 우리 교회는 외부에서 지휘자를 초빙해 오지 않기 때문에 성도님 중에서 음악적 재능이 있으신 분들이 보수 없이 봉사로 사명을 감당한다. 지휘자가 갑자기 그만두면 대장님이 지휘자를 섭외하느라 힘들다. 물론 교회에서도 알아봐 주긴 하지만, 가장 발 벗고 나서는 것은 대장님이다. 이번에 임명된 지휘자님께서 오래 봉사할 수 있으면 좋겠다.

남편은 아버지가 장로님이셨고 사촌 중에 미국에서 목회하는 분도 있는 기독교 집안사람이다. 모태 신앙으로 학창 시절에도 교회에 열심히 나갔고 청년 시절에는 여의도 순복음 교회에 정말 열심히 다녔다. 청년 선교회 활동을 하며 경찰서 유치장에 전도하러 다닐 정도였다. 나도 두 번 정도 따라갔었는데 설교 후에 주님을 영접하실 분들은 일어나라고 하면 신기하게 일어나는 분들이 있었다. 유치장에 있다고 다 나쁜 사람은 아닌 것 같다. 이유 없이 들어오진 않았겠지만, 어쩔 수 없는 상황 때문에 들어온 분도 있었을 것이다. 여의도 순복음 교회에서 우린 이렇게 만나 결혼으로 이어졌다.

남편은 믿음이 컸지만, 30대 후반부터 취미 활동으로 사진 작가회 활동, 골프 등에 빠져서 꽤 오랫동안 교회에 나가지 못했다. 골프도 사진도 직장에 다니기에 주말에만 가능했기 때문이다. 그렇게 열심히 하다 보니 골프로 이글, 싱글도 하게 되어 더욱더 재미있어 교회는 점점 더 멀어졌다. 하지만 교회에는 안 나갔지만, 나와 아이들에게는 교회에 나가라고 당부하며 주일 헌금을 늘 챙겨주었다. 하나님을 아주 떠난 건 아니었다는 생각이 든다. 다만 주위에 유혹이 너무 많아 빠져나오지 못하고 있었다고 생각한다. 하나님께 한 대 맞아야 정신 차리지 싶었다. 아니나 다를까 아파트 입주를 앞두고 전세로 살던 집이 경매로 넘어가는 일이 생겼다. 걱정이 많았지만, 남편은 처음으로 경매에 관해 공부하였고 우리가 낙찰받는 것이 가장 손해를 덜 보는 것임을 알고 어렵게 낙찰받았다. 그래도 없는 돈에 손해를 많이 보았다. 그렇지만 그때까지도 주님께 돌아오지 못했다.

2000년에 서울에서 살다가 아파트를 분양받고 인천 검단으로 입주하였다. 이사를 오며 몇 년 동안 우리 가족은 교회를 정하지 못하고 방황하였다. 그러던 중 내가 먼저 검단 중앙교회에 나가게 되었다. 우리 교회는 처음 교회에 등록하면 새 가족 교육 과정을 이수한 다음에 알파를 한다. 내가 먼저 알파를 하였고 주일마다 빠지지 않고 교회에 출석하게 되었다. 나도 알파를 하면서 믿음이 더

커진 것 같다. 내가 교회에 열심히 출석하는 걸 알면서도 남편의 방황은 계속되었고, 믿음이 돌아오지 않아 내 마음만 애가 탔다.

그러던 중 어느 날 남편이 교회에 함께 가겠다고 하여 깜짝 놀랐다. 서울에 있을 때도 봉천 중앙교회를 다녔기 때문에 같은 장로교회인 검단 중앙교회가 마음에 든다고 하였다. 처음 교회에 간 날 남편은 떨어지는 눈물을 주체할 수 없었다. 많은 눈물을 흘렸고 목사님의 설교가 모두 자기를 두고 하는 말씀 같다고 했다. 어디에 그렇게 많은 눈물이 숨어있었는지 거의 6개월 동안 울면서 예배를 보았다. 신기한 일은 봉천 중앙교회에서 남성 전도회인 디모데 회로 함께 친하게 지냈던 형님이 우리 교회 장로님으로 계셨다. 그동안 어떻게 지내시는지 궁금했었는데 이렇게 우연히 만나다니 남편이 너무 반가워했다. 이것도 하나님의 인도하심이 아니었을까 싶다.

이렇게 시작된 남편의 신앙생활은 알파를 통해 빛났다. 즉 알파를 통해 거듭났다고 하는 편이 맞을 것 같다. 그동안 피우던 담배도 끊고 새사람이 되었다. 알파를 이수한 후에 스스로 1부 성가대를 찾아가서 봉사하겠다고 했다. 사실 남편은 중학교 때 성악을 배우다가 가정 형편 때문에 그만두어 늘 찬양에 대한 목마름이 있었다. 그렇게 1부 성가대 대원이 되었고, 2015년 1월 11일 임직 식에서 안수집사로 임직을 받으면서 1부 성가대 대장님이 되었다. 너무 자랑스러워하였다. 내가 보기에도 많이 힘들 텐데 지나칠 정도로 열심히 봉사한다. 더군다나 알파를 할 때마다 리더로 게스트를 섬겼으며 마음이 온통 교회에 가 있는 듯하였다.

코로나 이전에는 매주 토요일에 모여서 찬양 연습을 하였다. 1부 성가대는 2, 3부 성가대에 비해 대원이 적어서인지 늘 연습하는 장소도 열악하였다. 옆방에서 의자를 가져와서 연습하였다. 남편은 성가대 대원 중 가장 나이가 많다. 몸도 조금 뚱뚱하여 민첩하지도 못하다. 무릎도 부실해서 늘 무릎 때문에 고생한다. 그런데도 제일 일찍 가서 의자를 옮겨와 세팅하고 마이크 시설을 점검하며 연습 준비를 완벽하게 해 둔다. 1부 성가대를 위해서라면 궂은일도 마다하지 않고 한다. 젊은 남자 대원들도 있는데 가장 나이 많은 사람이 힘들게 일하는 것을 보면 그런 남편이 자랑스러우면서도 가끔 안쓰럽다. 그래도 본인이 즐거우면 되는 거니까 할 수 있음에 늘 감사하였다. '대장님'이란 호칭도 너무 좋았다.

남편이 안수집사로 임직을 받고 성가대 대장이 되던 해 2015년 4월 12일부터 15일까지 창립 25주년 기념 부흥회가 있었다. 세계로 교회 김명호 목사님께서 강사로 오셨다. 우리는 3일 내내 부흥회에 참석하였고, 특히 남편이 은혜를 많이 받은 것 같다. 말씀 중에 솔로몬 왕의 일천 번째 설교를 듣고 부흥회가 끝나고 다음 날부터 일천 번째를 시작하였다. 주 3회 주일과 수요 2부 예배, 목요 철야에 한 번도 빠지지 않았고, 새벽 예배도 매일은 아니지만 나가기 시작하였다. 그러면서 본인과 아내, 아들 둘 이름으로 일천 번째를 시작하였다. 그렇게 시작된 일천 번째는 2021년 10월 말에 끝났다.

우린 일천 번째로 은혜를 많이 받았다고 생각한다. 남편은 다니던 회사를 퇴직하게 되었는데 한 달 만에 다른 회사 부사장으로 재취

업하게 되었고, 아들 둘도 결혼 비용이 부족한 가운데 무사히 결혼시키게 되었다. 특히 큰아들은 지난 12월 초 코로나19로 어려웠지만, 무사히 결혼식을 마칠 수 있었다. 결혼하여 아들 손자도 세 명이나 보았고, 나이 칠십인데도 아직 회사에 나가고 있다. 이 모든 것이 하나님의 은혜이다. 남편이 기도에 힘쓰고 최선을 다해 봉사하기 때문에 하나님께서 우리 가정을 축복해 주시는 거로 생각한다.

나는 요즈음도 기도할 때 남편이 1부 성가대 대장으로서 역할을 잘 감당할 수 있도록 지혜와 능력, 건강 주시라고 기도한다. 나이도 일흔이고 팔 년이나 했으니 좀 더 젊고 잘할 수 있는 분에게 대장을 맡기면 좋겠다고 말하면 남편은 목사님께서 임명하시면 아멘~하고 순종하며 해야 하지 않겠냐고 한다.

10월 마지막 주에 2023년 사역이 발표되었다. 남편은 내년에도 1부 성가대 대장님으로 임명을 받았다. 다시 시작되는 사역도 분명 열과 성을 다해 열심히 봉사할 것이다. 어쩌면 내 남편은 1부 성가대 대장님으로 10년을 채울 수도 있을 것 같다. 그건 남편이 직분을 소중히 여기고 순종하는 마음이 있기 때문이라고 생각한다.

그런 남편이 자랑스럽다.

유선생님 사모님의
복지관 나들이

"유 선생님 사모님, 복지관 가셔야지요."

"오늘이 무슨 요일인데?"

"어제가 일요일이었으니까 오늘은 월요일이지요."

유 선생님 사모님이 천천히 일어나신다. 허리가 조금 안 좋으셔서 일어나시는 것도 한참 걸린다.

유 선생님 사모님은 오늘도 신나게 복지관으로 나들이하신다.

유 선생님 사모님은 우리 엄마 이름이다. 물론 이름은 따로 있다. 임헌복 여사가 우리 엄마 이름이다. 하지만 그 이름은 잊은 지 오래되었다. 친정아버지께서 초등학교 선생님이어서 아시는 분은 대부분 유 선생님 사모님이라고 부른다. 아버지가 돌아가신 후에도 사모님 호칭은 변함이 없다. 지금도 고향에 가면 아시는 분은 다 사모님이라고 부른다.

유 선생님 사모님은 정말 총명하고 건강하셨다. 목소리도 어찌나 청청하신지 모르시는 분은 전화 받으신 분이 젊으신 분인 줄 아신다. 작년 봄까지만 해도 강릉에서 혼자 생활하셨다. 매일 아침 일어나면 엄마표 요가를 1시간씩 하셨고, 나도 돌리기 어려운 두꺼운 훌라후프를 매일 천 번씩 돌리셨다. 육십 대 중반까지는 산악회에 가입해서 매주 등산을 하셨다. 산악회에 50,000원씩 회비를 내고 전세버스를 대절 내서 다니셨다. 지금은 어림없지만, 옛날 관광버스 풍경은 처음부터 도착할 때까지 마이크로 쉬지 않고 노래 부르고 중간 통로에서 몸을 흔들며 도착할 때까지 몇 분은 자리가 필요 없었다. 친정엄마도 그중 한 사람이었다. 평소에도 유행가 부르는 것을 좋아하셔서 라디오를 하루 종일 틀어놓고 큰소리로 노래를 따라 부르셨다. 체력도 좋으셔서 산악회 회원 중 5등 안으로 먼저 산 정상에 오르실 정도로 날렵하셨다. 설악산 대청봉, 제주도 한라산도 거뜬하게 오르셨는데 지금은 동네 동산에도 못 가신다. 세월이 참 야속하다.

평생 한 번도 병원에 입원하지 않으셨던 유 선생님 사모님께서 병원에 입원하는 일이 생겼다. 유 선생님 사모님의 자랑이

"나는 건강하여 평생 한 번도 병원에 입원하지 않았고 수술도 안 했다."

는 거였는데 연세가 드시니 어쩔 수 없는 것 같다.

유 선생님 사모님께서 작년 봄에 넘어지면서 어깨를 다쳐서 20일 정도 병원에 입원하셨다. 병원에 계신 것이 스트레스가 크셨는지 갑자기 인지가 나빠지셨다. 어쩜 그전부터 조금씩 안 좋아지셨는데 혼자 생활하고 계셔서 우리가 미처 눈치채지 못했을 수도 있다. 혼

자 생활하기 어려워 퇴원하시며 우리 집에서 함께 지내고 있다. 옆에 계시니 그래도 조금 안심이 된다.

차를 타고 가다 보면 주야간보호센터라는 간판이 자주 눈에 띈다. 작년까지는 우리 집과 전혀 상관없는 곳이라고 생각하여 관심이 없었다. 하지만 이제는 아주 가까운 이웃이 되었다. 유 선생님 사모님이 작년 추석쯤에 장기 요양 인정등급으로 4등급을 받아 주야간보호센터에 다니게 되셨다.

유 선생님 사모님은 매일 복지관으로 나들이하신다. 주야간보호센터를 복지관이라고 부르신다. 아이가 유치원에 가듯 집 앞에서 미니 셔틀버스를 타고 가신다. 딸이 아직 직장에 다니기 때문에 가방에 현관 카드키와 핸드폰을 넣고, 지팡이에 의지해 집을 나선다. 가끔 저녁에 고향 친구분이 전화하시면

"낮에 복지관에 갔다가 조금 전에 왔어. 거기서 운동도 많이 하고 저녁까지 먹고 왔어. 실장님들도 잘해주고 재미있어."

신나서 통화하신다. 유 선생님 사모님은 신나서 이야기하시는데 듣는 나는 눈물이 난다.

유 선생님 사모님이 처음부터 복지관을 좋아하신 건 아니다. 처음 복지관에 모시고 가려던 전날 밤에 주무시다 갑자기 나오셔서 거실에서 TV를 보고 있던 사위에게

"얘가 나를 정신병원에 데려가려고 거짓말을 시켰어. 나 안가."

"그럼 가시지 마세요. 그냥 집에 계셔요."

라고 달래 드리고 주무시도록 했다. 다음 날 여쭈어보니 한번 가

보신다고 하여 모시고 갔는데, 가시자마자 어르신들과 이야기보따리가 풀어졌다.

복지관은 일요일과 설날, 추석을 제외하곤 모두 운영한다. 일요일에 저녁 식사를 하시며

"하루 종일 집에 있으니 지루해"

다행이라고 해야 할까 복지관에 가시는 것을 좋아하셔서.

우린 유 선생님 사모님이 복지관에 즐겁게 나들이하시며 오래오래 건강하시길 바란다.

기억력이 없어도, 혼자서 나들이를 못 하셔도, 전화 받는 것도 자꾸 잊어버려 매일매일 가르쳐 드려도 지금처럼 인지가 더 나빠지지 않기를 매일매일 기도한다.

"유 선생님 사모님, 오늘도 복지관 잘 다녀오세요"

유 선생님 사모님은 오늘도 가방을 메고 지팡이를 짚고 복지관으로 나들이 가신다. 그 옛날 잘 차려입고 봄나들이 가듯이 마음 가득 미소를 띠며 집을 나선다.

할머니,
시금치 배 속에 있는데요

쌍둥이 손자가 3주 만에 금요일 저녁에 집에 왔다. 태어나고 6개월 되던 때부터 아들이 금요일 저녁에 데리고 와서 일요일 저녁에 간다. 평일에는 외할머니와 며느리가 육아하기에 주말에는 좀 쉬라고 아들과 쌍둥이는 우리 집에 오고 며느리는 2박 3일 혼자서 집에 있다. 손자가 오면 가지고 놀거리가 있어야 해서 우리 집에는 손자 물건이 많다. 손자 침대도 있고 트램펄린, 이동식 책상, 자석 칠판, 동화책, 장난감, 블록 등 한 방이 손자 물건으로 가득 찼다. 소독고, 유아 변기, 계단, 화장실 슬리퍼 등 2박 3일 동안 지내기에 불편하지 않을 정도의 물건들이 다 있다.

쌍둥이 손자는 일란성 아들 쌍둥이다. 1분 차이로 태어났다. 아기 때부터 매주 보다 보니 성장 과정을 다 알기에 더 예쁜 것 같다. 뒤집기 하는 것도, 기는 것도, 처음 걸을 때도 다 생각난다. 처음 깡통에 쉬를 할 때도 함께 있었고, 변기에 앉아 응가를 처음 시도하는 것도 우리 집에서 시작하였다. 이유식을 먹이다가 밥으로 바꾸

고, 뽀로로 수저와 포크를 사고, 빨대 컵이며 식판을 장만하며 너무
기뻤다.

육아는 모든 것이 힘들지만 밥 먹이는 것이 가장 힘든 것 같다.
이유식을 먹일 때부터 잘 먹으면 좋은데 밥을 입에 넣고 넘기지 않
고 물고 있으면 하염없이 기다려주며, 밥 먹는 데 1시간도 더 걸
린다. 지금은 그래도 조금 커서 밥 먹는 시간이 단축되어 3, 40분
으로 줄어들긴 했다.

손자는 올 2월에 네 돌이 지나 다섯 살이다. 유치원에 다니고 있
는데 기억력이 좋은 것 같다. 유치원에서 학습한 것을 잘 이해하고
기억한다. 어제저녁에 아빠가 약속이 있어서 나가는 바람에 할머니
랑 같이 잤다. 잘 때는 오른손, 왼손을 하나씩 나누어 잡고 잔다.
잠들기 전에 큰 손자가

"할머니, 꼬미도 반려동물이에요?"

묻는다. 꼬미는 외갓집에 있는 강아지다.

동화책을 읽다가 구름이 해님 속으로 들어가면

"할머니, 구름이 왜 해님 속으로 들어갈까요?"

"왜 그럴까? 지우가 말해봐."

"구름이 개구쟁이라서 그래요."

라고 한다.

왜 이리 귀여워. 시인인 할머니보다 상상력이 더 풍부하다.

둥이는 우리 집에 오면

"누구랑 자요?"

"누구랑 밥 먹어요?"

늘 질문을 한다.

일부러

"아빠랑 먹어야지."

라고 하면

할머니랑 먹는다고 아우성친다. 귀여운 내 새끼들.

아빠가 놀이터도 데리고 가고 집에서 숨바꼭질도 해주며 잘 놀아주는데 아빠가 무섭다고 한다. 할머니는 해달라는 대로 다 해주고 자기편이라고 생각하는 것 같다. 우리 집에서는 주로 나랑 놀고 밥도 먹여준다. 내가 안 보이면 방마다 찾으러 다닌다. 할머니를 좋아해 주어 너무 좋다.

토요일에 아파트 상가에 있는 병원에 가서 손자 독감 예방주사를 맞혔다. 병원 간 김에 나도 맞고 아들도 맞았다. 쌍둥이는 한 번 외출하려면 최소 어른 두 명이 필요하다. 공원이나 놀이터에 갈 때는 나와 할아버지가 함께 가지만, 병원이나 미용실에 갈 때는 아빠가 함께 간다. 오늘도 예방 접종 후에, 미용실에 예약이 되어 있었다.

손자 머리는 아기 때부터 우리 집에 올 때 깎여서 아파트 입구 미용실에 예약하고 간다. 올봄부터 손자 머리 깎을 때는 아빠가 꼭 함께 갔다. 특히 둘째 손자는 머리 깎을 때 너무 심하게 울어서 힘들었는데 아빠와 동행하고부터는 너무 얌전하게 잘 앉아 있다. 미용실 원장님이 잘 참는다고 칭찬할 정도다. 머리도 예쁘게 깎고 독감 예방주사도 맞고 오늘은 큰일을 두 가지나 했다.

목욕하고 고구마 요플레를 먹였다. 고구마를 에어프라이에 넣고 구워서 으깬 후에 플레인 요플레에 섞어서 점심에 꼭 먹인다. 손자는 이것을 고구마 요플레라고 부른다. 입이 짧은 건지 특히 큰 손자는 과일도 과자도 음료수도 안 먹는다. 오직 밥, 치즈, 우유, 고구마 요플레, 뻥 과자만 먹는다. 작은 손자는 그래도 바나나와 귤 정도는 먹는다. 한날한시에 태어난 쌍둥이도 많이 다름을 우리는 쌍둥이 손자를 보고 알았다. 식성도, 성격도, 노는 것도, 좋아하는 것도 어쩜 그렇게 다른 지 참 신기하다.

저녁을 먹이는데 국에 말아 달라고 한다. 마침 갈비탕이 있어서 데워서 밥을 말아서 먹였다. 밥 한 숟가락을 먹이고 시금치와 떡갈비를 반찬으로 먹였다. 곧잘 받아먹더니 시금치를 주니까 둘째 손자가

"할머니, 시금치 배 속에 있는데요"

하며 배를 가리키며 시금치를 안 먹는다.
보고 있던 할아버지가 고놈, 하며 웃는다. 그 말에 나도 크게 웃었다. 밥은 무사히 다 먹었지만, 그 말이 우리 집 유행어가 되었다.

오늘도 행복 바이러스 쌍둥이 손자 덕에 우리 가족은 크게 웃는 날이 되었다. 오늘도 행복 하나를 더했다.

총각김치가 익기를 기다립니다

퇴직하고 요리에 도전하여 가족들에게 맛있다고 칭찬을 받았다. 그래서 점점 요리가 재미있어져서 이것저것 다양하게 해보는 중이다.

"파김치도 이제 잘 담그니 이번에는 총각김치 한번 담가보면 어떻겠소"

남편이 총각김치가 먹고 싶다며 한번 해보라고 했다. 60이 넘도록 총각김치를 담가 본 적이 없다. 작년까지는 친정어머니께서 담가주시거나 주문해서 먹곤 했었다.

나의 요리 선생님은 유튜브다. 새로운 요리를 할 때는 같은 요리를 여러 편 본다. 총각김치 영상도 정말 많았다. 평소에 구독하고 있는 유튜브를 몇 개 보고 맛있어 보이는 다른 영상을 시청하였다. 난 요리를 할 때 복잡한 것을 싫어한다.

오늘도 유튜브 선생님께 배운 레시피로 나만의 요리 교과서에 추가할 총각김치 레시피를 만들었다. 정말 며칠 열심히 공부하고 연구하여 만든 나만의 총각김치 레시피를 완성하였다. 어느 정도를 사야 할지 몰라서 그래도 김치통 한 통은 담고 싶어 6단을 샀더니 조금 많은 것 같았다. 손 큰 내가 처음 담가보는 총각무를 통 크게 6단을 샀다. 겁도 없이~

[총각김치 레시피]- 총각무 6단

1. 총각무는 작은 것이 좋다(아파트 상가 마트에 원하는 총각무를 사려고 매일 들러 확인하고 드디어 마음에 드는 총각무 여섯 단을 배달시켰다).
2. 다듬는 것도 꼼꼼하게 배운 대로 하였다. 수염과 꼬리를 제거하고 열무는 연한 잎만 적당히 남겼다.
3. 다음은 세척하기다. 새 수세미로 뿌리 부분을 문질러서 깨끗하게 씻고 열무도 속까지 꼼꼼하게 씻어서 소쿠리에 건져 놓았다.
4. 천일염 두 컵으로 한 컵은 물에 풀어 알타리를 절인다. 나머지 한 컵으로 뿌리 쪽에 소금을 뿌려준다. 5시간은 절여야 해서 뚜껑을 덮어 2시간 후에 한번 위아래를 뒤집어준다. 다시 3시간 후에 무가 말랑말랑 휘어지면 물에 한 번 더 씻어준다. 절이기 전에 깨끗하게 씻었기 때문에 한 번만 가볍게 씻어 소쿠리에 받혀 둔다. 잘 절인 것 같다.

5. 찹쌀 풀을 먼저 쑤어 식혀두어야 한다. 찹쌀풀 5스푼에 물 5컵을 넣고 눌어붙지 않게 나무 수저로 잘 저으며 끓어 오를 때까지 저어주었다. 유튜브에서는 황태 머리를 삶아 육수를 내라고 했지만 생략했다. 대신 풀 쑬 때 만능 간 장 2스푼을 넣어서 해보았다.

6. 이제 양념을 만들 순서다. 새우젓 2컵, 양파 중 2개, 사과 하나, 배는 너무 커서 1/2개만, 마늘 2컵, 생강 2쪽, 건 고 추가 있어서 5개를 믹서로 갈았다. 다짐기가 있지만 보드랍 게 가는 게 좋을 거 같아서 믹서를 사용했다. 갈 때 물을 2 컵씩 넣었다. 사과는 껍질 채, 배는 껍질을 벗겼다.

7. 믹서에 간 양념에 고춧가루 4컵과 찹쌀풀을 잘 섞어서 30분 정도 숙성시켰다. 맛보고 또 보며 고민하다 싱겁고 약간 쓴 맛이 나는 것 같아 액젓 반 컵과 매실청 반 컵을 넣었다. 짜면 안 되어 조심해서 반 컵씩만 넣었다. 참 꿀을 넣으면 맛있다고 해서 설탕 대신 꿀 10스푼을 넣었다.

8. 이제 쪽파 한 줌을 3 등분하여 먼저 넣고 버무린 후에 총각무를 나누어서 버물고 마지막에 양념이 잘 묻도록 한 번에 잘 섞었다.

9. 김치통에 담을 때도 하나씩 양념이 잘 묻도록 살피며 담았다. 큰 무는 2등분이나 4등분을 하였는데 속까지 양념이 잘 묻도록 신경 썼다. 총각무 6단은 김치통으로 한 통 반 정도 되었다. 가득은 아니다.

10. 이제 맛있게 익기를 기다리면 된다.

색깔은 나쁘지 않다. 양념도 많아 총각무 하나하나에 정성껏 양념을 묻혔다. 양념이 너무 많은 듯하지만 숙성되어 양념이 스며들면 괜찮아질 거라는 기대를 해본다. 양념이 많을 줄 알았으면 파도 조금 넉넉히 넣을 것 후회된다.

  정말 공부하고 연구하며 정성을 다해 담갔다. 하지만 처음 해본 총각김치가 맛이 있을지 모르겠다. 남편과 나는 어서 총각김치가 익기를 매일매일 기다린다. 제발 맛있기를 바란다. 잘 익어 맛있으면 아들네도 좀 나누어 주고 싶은데 맛이 없으면 어쩌나 걱정이다.
  이제 올겨울 준비는 김장만 남았다. 올해도 12월에 작년처럼 해남에서 절임 배추를 주문해서 담글 예정이다. 아직 작년에 담근 묵은지가 많이 남아있어서 작년보다는 조금 적게 담그려고 한다.
  오늘은 조금 힘들었지만 내 손으로 총각김치를 담가서 너무 행복하다. 분명 맛있을 거라고 장담한다. 나는 음식에 진심이니까.

  총각김치가 익기를 기다리며 오늘도 행복하다.

part 4

넷째 달 퇴직일지

신달자 님의 시로 시작하는 12월 첫날

나는 내 나이를 사랑한다

신달자

지금 어렵다고 해서
오늘 주눅 들 필요는 없다는 것

그리고 기다림 뒤에 알게 되는
일상의 풍요가 진정한 기쁨을
가져다준다는 것을 깨닫곤 한다

다른 사람의 속도에
신경 쓰지 말자
중요한 건 내가 지금
확실한 목표를 가지고
내가 가진 능력을 잘 나누어서
알맞은 속도로 가고 있는 것이다

나는 아직도 여자이고
아직도 아름다울 수 있고
아직도 내 일에 대해 탐구해야만 하는
나이에 있다고 생각한다

그렇다
나는 아직도 모든 것에 초보자다
그래서 나는 모든 것을 익히고
사랑하지 않으면
안 된다고 생각하고 있는 것이다

나는 현재의 내 나이를 사랑한다
인생의 어둠과 빛이 녹아들어
내 나이의 빛깔로 떠 오르는
내 나이를 사랑한다

올해는 정말 다사다난했던 한 해이다. 42년 6개월을 몸담았던 교직을 퇴직하고 자유인이 되었다. 시인으로 등단했고, 브런치 스토리 작가로 활동하며 많은 글 벗님들을 알게 되었다. 세 번째 손자를 선물 받았고, 친정어머니와 일 년 반째 함께 생활하고 있다.

브런치 다섯 달(11월 4일) 만에 조회 수 10만을 넘겼다. 비교할 수 없기에 어느 정도의 조회 수인지는 모르지만, 다섯 달 동안 10

만 명이나 내 글을 읽어주셨다는 사실은 나에게는 너무 감사한 일이다. 그런데 11월은 나에게 더 큰 행복을 가져다주었다. 11월에 올린 글 중에서 다섯 개의 글이 다음 포털에 노출되고 브런치 인기 글에도 올라와 한 달 조회 수가 5개월의 조회 수와 거의 같게 되었다.

신달자 시인의 시처럼

다른 사람의 속도에 신경 쓰지 말자.

중요한 건 내가 지금 확실한 목표를 가지고 내가 가진 능력을 잘 나누어서 알맞은 속도로 가고 있다는 것이다.

브런치 6개월이 되었다. 가끔 조회 수가 산을 만들면 특별한 일이 일어나진 않지만, 글쓰기에 재미가 더해지는 거 같다. 브런치 1년이 되는 날 365개의 글을 발행하는 것이 목표여서 1일 1글을 쓰려고 노력 중이다. 하지만 꼭 해야 하는 일은 아니라서 능력 되는 대로 글쓰기를 할 거다. 나는 아직도 초보 작가라 배우면서 한 발짝 한 발짝 다가가다 보면 목표도 이루고 좋은 글도 많이 쌓일 거라고 믿는다.

나는 현재의 내 나이를 사랑한다. 큰 욕심도 없다. 다만 가족이 행복하고 건강하고 안전하길 바란다. 부족하면 부족한 대로 맞추어 살고 힘들면 힘든 만큼 휴식을 취하며 기다리면 된다. 그러다 보면 기다림 뒤에 알게 되는 일상의 풍요가 진정한 기쁨을 가져다준다는 것을 깨닫게 되리라.

　한 달 후면 새해가 된다. 새해에는 어떤 일들이 내 앞에 펼쳐질까? 좋은 일도 있고 자랑할 일도 있겠지만 때론 눈물 흘릴 일, 감추고 싶은 일도 있겠지. 하지만 그 모든 것이 내 인생이기에 모두 사랑할 수 있는 새해가 되었으면 좋겠다.

　나는 아직도 여자이고 아직도 아름다울 수 있는 나이이니까.
　아직도 내 일에 대해 탐구해야만 하는 나이에 있다고 생각한다.

3년 만의 화려한 나들이

　12월 1일이다. 올해 들어 가장 추운 아침이다. 영하 9도라고 한다. 3년 만에 이루어지는 동기 가람회 나들이가 오늘이다. 가람회는 서울교대 동문 중 교감, 교장, 장학사 즉 관리자로 승진한 동문 모임이다. 나는 17 가람회 회원이다. 즉 서울교대 17회 졸업생으로 초등학교 교감으로 승진하며 가람회 회원이 되었다. 가람회는 주로 동기별로 운영이 된다. 코로나 이전에는 연 1회 연수를 갔었는데 감히 코로나를 뚫고 가는 것이 어려워 그동안 추진하지 못했다. 오늘 여행을 누군가 '3년 만의 화려한 나들이'라고 하였다. 하필 오늘이 올해 들어 가장 추울 줄이야.

　모이는 장소는 사당역 공용주차장이다. 서울특별시 교육연수원에 갈 때마다 늘 셔틀버스를 타던 장소라 모르는 사람이 없다. 나는 며칠 동안 고민이 되었다. 강화도는 집에서 바로 가는 것이 빨라서 따로 승용차를 가지고 가는 것이 좋을까 고민 중이다. 승용차로 가면 갈 때는 늦게 출발해도 되어 편하지만, 단체로 이동하기에는 불편할 것 같았다. 그래서 일찍 일어나서 전세버스로 함께 움직이는 걸로 결정했다.

아침 6시에 일어나서 7시 10분경에 출발했다. 사당까지 가려면 지하철만 세 번 갈아타야 한다. 마침 남편이 지방 출장이 있어서 함께 나오니 든든했다. 오랜만에 타보는 지하철에는 사람이 정말 많았다. 지옥철이란 말이 괜히 있는 게 아니다. 사람이 너무 많아 한 정거장 전에 미리 나와서 문 가까운 곳에 서 있었다. 몸을 움직이지 못할 정도로 사람이 많았다. 다음에는 조금 일찍 나와서 급행 말고 일반을 타야겠다고 생각했다.

약속 시간 20분 전에 도착하니 이미 버스에 탑승하고 있는 친구들이 있었다. 퇴직하고 처음 만난다. 우리 기수는 거의 퇴직하고 일곱 명만 현직에 남아 있다. 내년 2월 말이면 한 명만 제외하고 모두 퇴직을 한다고 했다. 인사를 나누고 자리에 앉으니 여기로 오길 잘했다는 생각이 든다.

버스에서 마이크를 돌리며 퇴직 후에 어떻게 지냈는지 한 사람씩 이야기했다. 제주도 한 달 살기를 한 친구들이 많았고, 한 명은 40일 동안 산티아고 순례길을 완주하고 왔다고 했다. 한 친구는 아무것도 안 하고 있으면 안 될 것 같아 내일 배움 카드로 요양보호사 자격증을 남편과 같이 땄다고 하고, 한 명은 소리 공부를 하러 다닌다고 했다. 캠핑카를 사서 차에서 숙박하며 전국 곳곳을 다니는 친구도 있었고, 교외로 이사하여 텃밭을 가꾸는 친구도 있었다. 퇴직 시기는 다 다르지만, 각자 자기만의 색깔로 모두 열심히 잘 지내고 있었다.

1시간 30분 정도 걸려서 석모대교를 건너서 보문사 입구에 있는 식당에 도착하였다. 예전에는 석모도에 가려면 배에 승용차를 싣고 건넜다. 배에서 갈매기에게 새우깡을 주며 떼지어 따라오는 갈매기를 보는 것도 진풍경이었다. 다리가 생기면서 편리한 점은 있지만, 그때가 그립기도 하다. 아이들이 어릴 때 정말 즐거워했는데 이젠 그런 추억을 만들 수 없다.

식당에 주차하고 두 편으로 나누었다. 한 팀은 보문사를 오르는 코스였고, 한 팀은 강화 나들길 11코스를 산책하는 코스이다. 보문사는 여러 번 방문했기에 강화 나들길 산책 코스를 선택하였다. 우리가 갔을 때는 썰물이라 바닷물이 빠져 갯벌이 훤히 드러나 있는 바다 풍경을 보며 걸었다. 따뜻한 날 밀물 때에 맞추어 꽉 찬 바닷물을 보며 걸으면 더 좋겠다고 생각했다.

겨울이라 길옆으로 보이는 억새가 추워 보였다. 날씨가 추웠지만, 다행스러운 것은 바람이 많이 불지 않아서 체감 온도는 그리 낮지 않았다. 길이 넓지 않고 안전장치가 없어서 친구가 위험한 것 같다고 바닷가 쪽으로 걷지 말라고 한다. 요즘 안전을 중요하게 생각하기에 다른 사람 눈에도 조금 위험해 보였다. 길옆으로 내려다보이는 논은 꽁꽁 얼어서 물을 조금 더 채워서 썰매라도 타고 싶었다. 점심 식사 시간에 맞추려고 5km 정도 걷고 온 길을 다시 돌아서 식당에 도착하였다.

식당은 내부가 너무 예뻤다. 사장님께서 세계 여러 나라를 여행하며 수집했다는 도자기가 전시되어 있었다. 특히 식사하면 무료로 아메리카노와 쑥차를 마음껏 마실 수 있는 2층 카페는 정말 예뻤다. 지인들과 와서 오래도록 수다를 떨고 싶은 그런 포근한 곳이었다.

1층에서 꽃게탕과 밴댕이 회무침을 먹었다. 참, 식사하기 전에 회장님이 건배사를 하였다.

"청춘은 바로 지금부터! 청 · 바 · 지"

참 맘에 드는 건배사다. 지금이 앞으로의 인생에서 가장 젊기에 청춘은 지금부터 다시 시작이다. 마음은 늘 청춘이니까.

돌솥 밥이라 밥을 푸고 누룽지에 물을 부어 두었다. 꽃게탕에 꽃게가 정말 많아서 실컷 먹었다.

국물도 너무 맛있고 꽃게에 살도 제법 많았다. 요즘 소식을 하고 있지만, 오늘은 배불리 먹었다. 아무래도 저녁은 굶어야 할 것 같다. 2층 카페에서 느긋하게 차를 마시지 못해서 조금 아쉬웠지만, 오늘만 날이 아니니까 다음에 꼭 한 번 더 와서 2층 카페에서 여유를 즐기리라.

다음 코스는 퇴직한 동기가 이곳에 펜션을 지어 살고 있어서 그곳을 방문하는 거다. 그동안 이야기를 많이 들어서 직접 와 보고 싶었는데 오늘 오길 정말 잘했다는 생각이 또 들었다. 처음에는 그냥 세컨드 하우스로 지었는데 사정이 생겨서 한 채를 펜션으로 운영하게 되었다고 했다. 벽에 걸려있는 '길벗 주점'이 인상적이다. 같이 근무했던 학교의 부장님들이 만들어 걸어 주었다고 한다. 친구들에게 술 생각나면 언제든지 놀러 오라고 한다. 마음이 참 따뜻한 친구다.

펜션 주인인 친구가 외포항에서 직접 사 온 새우와 가리비를 숯

불에 구워 먹었다. 텃밭에서 수확한 고구마를 미리 난로에 구워 놓아서 군고구마도 먹고 쑥차도 마셨다. 강화도 순무도 깎아서 먹었는데 어떤 과일보다 맛있었다. 친구들이 우르르 몰려와서 사모님이 힘들 만도 한데 미소가 어찌나 따뜻하고 인자한지 있는 동안 마음이 너무 편했다. 올 때 농사지은 무와 헛개나무 열매를 달여 먹으라고 싸주어 우린 무겁지만, 기쁜 마음으로 가지고 왔다.

오랜만에 친구들과 다녀온 강화도 나들이로 우정은 더 쌓였고, 오늘 나들이가 너무 즐거웠다고 말한다. 친구는 언제나 편하고 좋다. 그동안 여러 가지 사정으로 만나지 못했지만, 오랜만에 만나도 역시 친구는 친구다. 이제 퇴직하여 같은 길을 걷진 않지만, 다른 색깔로 만나니 이야깃거리도 많아 좋았다.

모일 장소를 제공해 준 펜션 친구 부부에게 감사하다. 그리고 사전 답사로 좋은 나들이 준비해 주신 회장, 부회장님께도 감사드린다. 수고하신 분들이 계셨기에 더 좋은 나들이가 되었다. 가장 추운 날이었지만, 친구들에겐 가장 따뜻한 하루였으리라 생각한다. 아침 일찍 일어나 조금 피곤하지만, 오랜만의 나들이로 기분 좋은 하루였다.

어떤 결혼식

12월 첫째 주와 둘째 주 토요일에 연이어 친구 딸들 결혼식이 있다. 한 명은 동기이면서 모임 선생님 큰딸, 또 한 명은 초등학교 동창 딸이다. 요즈음 12월에 유독 결혼식이 많은 것 같다. 예전에 비해 결혼식에 많이 가지 않고 통장으로 축의금을 입금하지만 지난 토요일에 결혼식에 참석했다. 결혼식을 축하하기라도 하는지 밤새 첫눈이 내렸고 전날 추위도 물러나 날씨도 포근했다. 축복받은 그런 날씨였다.

결혼식 풍경도 많이 바뀌었다. 하지만 접수대에서 축의금을 받는 것은 달라지지 않았다. 물론 가끔 축의금을 받지 않는 결혼식도 있긴 하지만, 대부분 방명록에 기록하고 축의금을 내고 식권을 받는다. 오늘도 개혼이라 축의금을 줄 서서 냈다. 우리나라는 주고받는 문화라 이런 형식을 없애기란 어려울 것 같다. 받았으면 갚아야 하는 게 우리나라 경조사 풍습이니까.

자녀를 결혼시키거나 부모님 상을 당하면 기록을 잘 정리했다가 우리 집 경조사에 정을 나눠주신 만큼 대갚음해야 한다. 그게 예의가 되었다. 나도 아들 둘 결혼시키고 엑셀 파일로 정리하여 출력까지 하여 장부처럼 보관하고 있다.

결혼식 식순 첫 번째로 보통은 양쪽 엄마들이 손잡고 먼저 입장하여 화촉을 밝히는데, 오늘은 신랑 부모님이 입장하고 그 뒤에 신부 부모님이 입장하였다. 입장 후에 아버지들은 자리에 앉고 엄마 두 분이 화촉을 밝혔다.

드디어 오늘의 주인공 신랑 신부 입장이다. 보통 신랑이 먼저 행진곡에 맞추어 씩씩하게 입장하고 신부는 친정아버지 손잡고 웨딩마치에 맞추어 입장한다. 신부 아버지가 신부를 사위에게 인도하고 신랑 어깨를 툭툭 쳐주며 격려하고 자리에 앉는다. 오늘은 달랐다. 오늘은 부모님들이 입장한 후에 신랑 신부가 함께 나란히 입장하였다. 즉 부부 세 팀이 차례로 입장하였다. 이런 형식도 좋았다.

오늘도 요즘 대부분의 결혼식처럼 주례는 없었다. 신랑 신부가 작성해 온 성혼선언문을 낭독하고 부모님 축사로 이어졌다. 이게 맞는 것도 같다. 신랑 신부를 가장 잘 알고 가장 사랑하는 분이 부모님이라 축복도 가장 많이 해 줄 수 있다고 생각한다.

우리 집도 두 아들 모두 주례 없는 결혼식을 하였다. 축가도 예전에는 친구나 지인 중에서 노래 잘하는 사람이 많이 불러주었다. 요즈음은 신랑이 신부를 위해 불러주고 이벤트처럼 재미있게 결혼식을 한다. 신부가 댄스를 하는 결혼식도 자주 볼 수 있다. 요즘 신랑 신부는 정보도 많고 아이디어도 좋아서 정말 다양하게 결혼식을 준비한다. 그래서 보는 하객들도 즐거운 잔치에 초대된 양 너무 즐겁다. 물론 진지하지 못한 결혼식을 보며 조금 걱정하는 분들도 있긴 하지만 눈물바다 결혼식보다는 즐거운 결혼식이 좋다고 생각한다.

또 다른 결혼 풍속도는 결혼식에 가보면 하객 대부분은 축의금 접수 후에 혼주에게 인사드린 후 신부대기실에서 신부를 보러 간다. 그다음에 식장보다는 식당에 가서 식사한다. 식장에는 일가친척과 신랑 신부 친구들과 소수의 지인이 예식에 참석한다. 그래서 식당에 비해 예식홀이 상대적으로 작은가 보다. 결혼식을 보러 온 건지 식사하러 온 건지 가끔 혼란스럽다.

나는 예식 보는 것을 좋아한다. 하지만 함께 간 일행이 있을 때는 혼자 예식 보고 식사하자고 하긴 어렵다. 오늘도 신랑 신부 입장하는 것까지 보고 일행과 함께 식사하러 갔다. 손님이 많다 보니 나중에 식사하면 붐비니까 대부분 그렇게 한다. 신부 아버지가 강의도 다니고 말씀도 너무 잘하고 박식한 분이라 축사를 재미있게 하셨을 텐데 못 들어서 조금 아쉬웠다. 피로 회장에서 영상으로 장면만 보았다.

호텔 예식장인데 역시 뷔페다. 작은아들 결혼식 할 때만 해도 상차림 예식장이 있어서 우린 상차림 예식장을 몇 군데 알아보고 예약하였었다. 작년에 큰아들 결혼할 때는 상차림 예식장이 많이 없어져서 뷔페로 하였다. 장단점이 있다. 상차림은 앉아서 편하게 식사하는 장점이 있고, 뷔페는 먹고 싶은 것을 골라 먹을 수 있는 장점이 있다.

먹으러 가는 것은 아니지만, 결혼식에 시간 내서 귀한 발걸음 해주신 하객들을 대접하는 거라 음식은 중요하다고 생각한다. 예식장을 선택할 때 예식홀 분위기도 보지만, 식당과 음식 메뉴도 꼼꼼하게 살펴보아야 하는 것은 당연하다. 그래서 예식장마다 신랑 신부와 양가 부모님 6명 정도가 미리 시식할 수 있도록 해준다.

시대가 바뀌었으니 결혼식 풍경이 바뀌는 건 당연하다. 결혼식이 어떤 방식이든 결혼식에서 많은 축하를 받은 만큼 결혼하고 행복하게 살면 된다. 3포 시대라고 하는 요즈음 아들딸들이 결혼을 많이 하고, 아이도 낳고 살았으면 좋겠다. 우리나라가 인구가 줄어들어 없어질 수도 있다고 들었다. 물론 먼 훗날 이야기이긴 하지만, 둘이 결혼하면 두 명의 자녀를 낳아야 통계상으로 인구를 유지할 수 있다고 한다.

결혼식에 가면 늘 '어쩜 아들딸들을 저렇게 잘 키우셨을까.' 칭찬하게 된다. 신부는 너무 날씬하고 신랑도 너무 멋지다. 오늘 결혼한 신랑 신부도 연예인처럼 예쁘고 멋졌다. 신부 아버지도 새신랑 못지않게 너무 젊어 보였고, 신부 엄마도 너무 우아하다. 나는 아들 둘 숙제를 마치고 손자까지 보았으니 결혼식에 가도 마음이 편하다. 오늘 결혼한 신랑 신부를 위해 축복 기도를 해야겠다.

신랑 신부가 아들딸 낳고 아름답게 잘 살게 축복해 주시고
화려함 뒤에 감춰진 부모님의 수고도 잊지 말고 기억하기를 기도드립니다.

선생님, 이과죠?

5학년 과학 수업을 마치고 학생들이 교실로 올라갔다. 쉬는 시간이었는데 남아 있던 남학생이

"선생님, 이과죠?"

"왜 그렇게 생각하는데."

"과학을 잘하시잖아요."

'내가 과학 선생님이니까 당연히 5학년 과학은 잘해야지.'

속으로 다행이라고 생각했다. 선생님을 믿어주어 고맙기도 했다.

초등학교 5학년이면 아직 문과 이과를 논하지 않아도 될 텐데 부모님께서 과고라도 보내려고 미리 학원에 보내시는 건 아닐까 하는 생각이 들었다.

나는 한 번도 내가 이과 성향이라고 생각한 적이 없다. 늘 문과 쪽이라고 생각했다. 책 읽는 것을 좋아하고 음악을 좋아한다. 하지만 곰곰이 생각해 보니 문과가 아니라 이과 쪽에 가까울 수 있다는 생각이 들었다. MBTI도 ISTJ '청렴결백한 논리주의자'는 이과에 더 가까운 것이 아닌가 하는 생각도 든다.

중고등학교 때는 수학을 가장 잘했다. 고3 때 수학 선생님께

서 S대 수학과에 원서를 쓰면 어떻겠냐고 말씀하셨다. 부모님도 원하시고 나도 선생님이 꿈이라 교대를 가야 해서 선생님 말씀은 들어드리지 못했다. 사실 S대는 자신도 없었다.

다음으로는 이과 성향은 집중력이 좋다고 하는 데 나도 집중력이 좋다. 주변에서 떠들어도 내 할 일은 한다. 특히 공부도 마찬가지다. 그리고 말을 많이 하지 않는다는 성향도 같다. 나 스스로 말을 잘하지 못한다고 생각하기에 모임이나 회의에서 꼭 해야 할 말 이외에는 잘 안 한다. 물론 아주 친한 사람과 있을 때는 다르다.

그리고 분명한 것을 좋아한다. 그래서 요리도 공식에 맞추듯 레시피북을 만들어 매번 그대로 한다. 규칙이나 약속도 꼭 지키고 예정에 없던 일을 싫어한다.

하지만 책을 좋아하고 음악도 좋아한다. 생각해 보면 문과 성향과 이과 성격을 반반 가지고 있는 것이 아닌가 싶다. 특히 초등학교 교사는 모든 과목을 가르치고, 전체 학생들을 이해하고 가슴에 품어야 하니 교사였던 내 성향을 중간쯤에 갖다 놓은 게 아닌가 한다.

고등학교에서 이과 문과를 나누는 나라는 우리나라와 일본밖에 없다고 한다. 완벽한 이과도 문과도 없다고 생각한다. 이과 성향이 조금 더 강하긴 하지만, 그 사람 내면에 감성적인 성격이 있고, 문과 성향이라도 때론 이과처럼 행동할 수도 있다.

초등학교부터 이과 문과 성향을 나누는 것은 바람직하지 않다고 생각한다. 이과 문과 성향도 결국은 뇌를 어떻게 사용하느냐에 따라 나뉜다고 한다. 어렸을 때부터 우뇌와 좌뇌를 골고루 사용하도록 다양한 경험을 심어주면 뇌도 골고루 발달할 거다. 이과 문과를 꼭 나누어야 한다면 내가 조금 더 좋아하고 잘하는 것을 선택하면 될 테니까.

지난 금요일에 수업을 마무리하며

"주말 즐겁게 잘 보내고 월요일에 만나요."

라고 하자

"선생님, 저는 토요일에 학원 가서 못 쉬어요""

라고 한다.

5학년인데 과학에 관심이 많다. 어려운 과학용어도 알고 있어서 친구들이 모르는 것이 있으면 물어보기도 한다.

과학고등학교에 가려고 미리 공부한다고 했다. 과학고등학교나 영재고등학교에 간 지인 아들들을 보면 초등학생 때부터 늘 학원에서 공부하는 것을 보았기에 이해가 되었다.

나는 학생들이 기본에 충실하고 하고 싶은 일을 할 수 있기를 바란다. 주말에 충분히 휴식을 취하고 주중에 하지 못했던 일도 하며 신나게 지내면 좋겠다. 성격이 모나지 않아 친구들과도 잘 지내고 소외되는 친구도 도와줄 수 있는 마음이 따뜻한 사람으로 성장하길 바란다.

요즘 수업하며 안타까운 점이 있다. 1주일에 한 번 정도 자리를 바꾸는데 도덕 시간에는 앉고 싶은 자리에 앉게 한다. 이 방법을 학생들이 좋아하지만, 학급에서 소외되거나 친구들이 싫어하는 학생들이 눈에 들어와 가슴이 아프다. 그럴 때는 자리 배치를 도와주어 함께 앉도록 유도해 준다. 처음보다는 분위기가 좋아졌지만, 같은 반 학생이니까 누구랑 짝이 되어도 긍정적으로 생각하길 바란다.

이제 12월 말도 보름 정도 남았다. 학생들과 헤어지지만 모두 바르게 잘 자라 행복한 사람이 되길 바란다. 퇴직하고 시간 강사로 다시 교단에 서며 교사 시절 바빠서 챙기지 못했던 것들도 챙기고, 학생들을 좀 더 이해하고 공감하는 좋은 시간이 되었다.

오늘 점심은 뭘 먹을까

요즘 점심은 늘 혼자 먹게 된다. 학교에서 퇴근하면 1시 30분 정도 되는데 늘 고민이다. 누가 하루에 세 끼를 꼭 먹어야 한다고 강요하지도 않는데 뭘 먹든 세 끼를 먹게 된다.

퇴근하며 가끔 아파트 상가 분식집에 들른다. 지나다 보니 꼬치 어묵이 맛있어 보였다. 예전에 추운 날 길가의 포장마차에서 파는 꼬치 어묵 먹던 생각이 나서 반가웠다. 지난주에는 꼬치 어묵 두 개를 먹었다. 두 개가 딱 맞는 양이다. 며칠 전에는 배가 고파서 욕심을 내어 꼬치 어묵 두 개와 추가로 컵 떡볶이를 먹었다. 떡볶이도 맛있었다. 먹다 보니 메뉴판이 보였다. 잔치국수, 라면, 떡볶이, 순대 그리고 김밥도 있었다. 나는 김밥을 별로 좋아하지 않는다. 그런데 야채 김밥은 한번 먹어 보고 싶었다.

어제는 야채 김밥을 먹어 볼까 생각하다가 건너편 슈퍼에 들렀다. 고향 만두 1+1 행사를 하고 있어서 얼른 카트에 담았다. 김치만두 한 봉지와 고기만두 한 봉지가 세트다. 요즈음 만두 종류가 많지만, 예전에 자주 먹던 고향 만두가 친근하다. 집에 와서 찜기에 고기만두 다섯 개와 김치만두 다섯 개를 찜 시트를 깔고 쪘다. 남은 만두는 잘 묶어서 지퍼백에 넣어 냉동실에 넣었다. 찜기에 김이 오르고 따끈따끈하게 만두가 쪄졌다. 찐만두는 만두피도 얇아 제법 맛있어 보였다.

지난번 브런치 글에서 '만두는 두 손으로 먹어야지.'란 글을 읽은 적이 있다. 그래서 나도 손으로 한번 먹어 보았다. 오랜만에 먹어서 그런지 제법 맛있었다. 어제 점심은 만두 10개와 김치로 해결했다.

나는 밥을 좋아하지 않는다. 그래서 아침과 점심은 밥이 아닌 빵이나 떡, 분식, 과일로 해결한다. 가끔 점심에 누룽지를 끓여 먹기도 하지만, 밥은 저녁에만 먹는다. 퇴직 전에는 점심으로 늘 학교 급식을 먹었다. 퇴직하고 보니 급식이 귀하다는 것을 알게 되었다. 언젠가 먼저 퇴직하신 선배님이 퇴직해서 불편한 점이 점심에 급식을 못 먹는 거라고 하시더니 그 말이 요즘 실감된다. 여자인 나도 혼자 점심 먹는 것이 이렇게 귀찮고 고민이 많이 되는데 남자분들은 어떨까 하는 생각이 들었다.

만두가 아직 남아 있어서 며칠은 만두로 때우면 될 것 같다. 한 번은 찐만두로, 한 번은 에어프라이에 구워 군만두로 먹으면 된다. 가끔은 분식집에서 야채 김밥도 한번 먹고, 잔치국수도 한번 먹어 보려고 한다. 집에서 먹는 빵과 커피도 좋다. 참, 붕어빵도 하루 먹고, 요즘 한 철인 호빵도 사다가 쪄 먹으면 되겠다.

오늘은 퇴근하며 붕어빵 생각이 나서 지하철역 근처에서 팥 붕어빵 2개와 슈크림 붕어빵 2개를 사 왔다. 붕어빵과 카페라테로 점심을 해결했다. 그런대로 좋았다.

그냥 하루 두 끼만 먹을까도 생각해 보았다. 그런데 습관이 안 되어서인지, 나이 들어서 그런지 점심에 뭐든지 조금이라도 먹어야 허전하지 않다. 그냥 점심 걱정 안 하려면 밥과 친해져야 할 것 같다. 그러면 '오늘 점심은 뭘 먹지?' 고민하지 않을 것 같다.

내일은 밥에 김치와 나물을 넣고 고추장 한 숟가락 넣어 쓱쓱 비벼 먹어야겠다. 참기름도 한 방울 넣으면 더 맛있겠지. 맛은 있겠지만, 점심을 많이 먹으면 저녁에 밥 생각이 없을 거 같아 또 고민이 된다. 저녁은 남편과 먹는 한 끼 식사라 함께 맛있게 먹어야 해서 저녁 먹을 배는 남겨두어야 한다.

퇴직하고 회식이 거의 없다 보니 원하는 몸무게가 계속 유지되고 있다. 운동도 꾸준히 하고 있다. 그래서 요즘 살찔 걱정은 없다. 먹고 싶은 대로 먹지만, 체질상 많이 먹지 못하기에 소식을 유지하고 있다. 음식은 맛있게 먹어야 건강에도 좋을 것 같다. 그날그날 먹고 싶은 것을 골라 먹으며 먹는 즐거움을 만끽해야겠다.

앞으로도 '오늘 점심은 뭘 먹지?' 고민은 계속될 것이다. 그러면 분식집도 기웃거리고, 붕어빵 파는 곳도 들를 것이다. 그러다가 우리 집 냉장고도 열어보며 점심 메뉴를 고를 것 같다.

그래, 인생에서 먹는 행복이 최고지.

뇌 MRI를 찍다

금요일 오후에 집에서 컴퓨터로 글을 쓰다가 쓴 글을 다운로드하려고 외장하드를 찾았는데, 없다. 가만히 되짚어보니 수업하고 과학실 컴퓨터에 두고 온 것이 분명하다. 외장하드에 수업 자료랑 다운로드하여 놓은 브런치에 쓴 글이 다 들어 있다. 그 외에도 내가 아끼는 책 읽어주기 자료도 들어 있다. 다시 가지러 갈까 하다가 학교 과학 실무사님께 전화를 드렸더니 컴퓨터에 꽂혀있다고 했다. 잘 보관했다가 월요일에 준다고 한다.

요즘 자주 깜박깜박한다. 아침에 출근하려고 나가다가 마스크를 안 써서 도로 들어간 적도 많다. 퇴근길에 남편이 부탁한 것을 까맣게 잊고 그냥 집으로 바로 간 적도 있다. 방에 뭘 가지러 들어갔다가 왜 왔는지 몰라 다시 주방으로 나갔다가 다시 들어간 적도 수없이 많다. 어떤 때는 세탁기에 빨래를 돌리고 그냥 자려고 하다가 한밤중에 생각이 나서 일어나서 널고 잔 적도 있다.

예전에 깜빡하는 습관 때문에 큰일을 당할 뻔한 적이 몇 번 있었다. 대부분 공중화장실에 가방을 걸어두고 그냥 나온 사건이다. 몇 년 전에 정선으로 여행을 간 적이 있었다. 여행하던

201

중 정선 재래시장에서 공중화장실에 갔다가 가방을 두고 나왔다. 일행과 잠시 벤치에 앉아 쉬고 있다가 핸드폰을 보려고 가방을 찾았는데, 없었다. 아이코! 순간 앞이 새까매져서 화장실에 달려가 보니 가방이 그대로 고리에 걸려있었다. 너무 다행이었다.

"휴우, 십년감수했네."

안도의 한숨이 나왔다. 가방에는 신용카드와 주민등록증, 현금 등이 들어 있었기 때문이다.

화장실 사건은 그 이후에도 몇 번 더 있었다. 강릉 고속버스 터미널에서도 같은 일이 있었고, 동네 대형 마트에 갔다가 가방을 화장실에 걸어놓고 와서 직원이 찾아 준 적도 있다. 세종문화회관에 공연을 보러 갔다가 가방을 또 화장실에 두고 나왔는데 뒤따라 들어갔던 여성분이 가방을 가지고 화장실 밖에까지 달려 나와서 가방을 찾아 준 적도 있었다. 정말 고마운 분이다. 모두 아찔한 순간들이었다. 그럴 때마다 가방을 찾아 다행이었지만, 그 순간 가슴 조였던 것을 생각하면 수명이 몇 년은 줄었을 거다.

요즈음 여행 갈 때는 아예 크로스로 멜 수 있는 가방을 가지고 간다. 가방을 몸에서 내려놓지 않기 위해서다. 그리고 지하철 화장실에 가도 '가방'하고 혼자 중얼거리며 앞쪽 고리에 가방을 걸어놓고 정신을 바짝 차린다. 그래서인지 요즘 가방 분실 사건은 별로 없다. 하지만 여전히 공중화장실에 대한 트라우마는 없어지지 않아 공중화장실에 갈 때마다 긴장이 된다. 요즈음도 여행 갈 때는 신용카드, 신분증 등 꼭 필요한 것만 최소한으로 가지고 간다. 가방을 분실할 수도 있기 때문이다.

내가 치매 초기인가 하고 걱정이 되었다. 하지만 주변에 이야기해 보면 나보다 나이 어린 사람들도 다 그렇다고 한다. 하지만 오후에 머리가 자주 아픈 것도 같고, 미열이 있는 것도 같아 병원에 가서 정밀 검사를 받아 보기로 했다. 뇌 MRI를 찍어보기 위해서 얼마 전에 병원에 입원했었다.

병원에 혼자 입원하여 밤에 뇌 MRI를 촬영하였다. 촬영하기 전에 무슨 나쁜 일이라도 있을까 봐 걱정이 많이 되었다. MRI는 처음 촬영하였는데 촬영하는 과정도 공포심이 컸다. 소리가 커서 귀에 이어폰을 끼워 주고 촬영하였다. 시간도 오래 걸리기 때문에 고소공포증이 있는 사람은 수면으로 촬영한다고 했다. 나는 그런 증상은 없어서 그냥 촬영하긴 했지만, 다음에는 다시 촬영하고 싶지 않았다.

다음 날 검사 결과를 보러 진료실에 내려갔는데 다행스럽게 뇌로 올라가는 혈관도 막힘이 없고, 뇌 주름도 좋다고 했다. 너무 다행이었다.

입원한 김에 치매 검사(인지 검사)도 하였다. 요즘 가장 불편한 것이 사람 이름과 단어가 갑자기 생각나지 않는다. 시간이 지나면 생각나기도 하지만, 가끔 대화를 나눌 때 불편하기도 하고 미안할 때도 있다. 이런 것을 명사 치매라고 들었다. 여러 가지 검사를 하느라 시간도 2시간 정도 걸렸다. 어르신들은 검사받다가 인지가 더 나빠질 것 같았다. 그만큼 지루하고 힘들었다. 검사 그 자체가 스트레스였다.

검사 결과 그리 걱정할 정도는 아니나 생각했던 대로 명사 기억력이 약하다고 나왔다. 그러면서 매일 암기하는 습관을 지니라고 했다. 퇴원하며 의사 선생님께서 뇌 영양제를 처방해 주어 요즘 복용하고 있다. 검사 후에 매일 가족 전화번호를 하루에 1개 이상 외우려고 노력한다. 그리고 식물 이름 외우기에도 도전하고 있다. 아직도 외우면 그다음 날 또 잊어버린다. 반복이 중요하다고 생각한다. 반복해서 외우다 보면 기억되는 것이 늘어나리라 기대해 본다.

친정어머니가 노인성 치매 초기라 나한테도 유전 인자가 있을 거로 생각한다. 그래서 걱정이 되어 검사하게 되었다. 검사를 하고 나니 그래도 조금 안심이 되었지만, 깜빡깜빡하는 습관은 고쳐지지 않는다. 내 나이가 아직은 60대 초반인데 나이 들어 그러는 거라고 단정하며 그냥 지내면 안 될 것 같다.

이런 나를 두고 남편은 늘

"할머니, 정신 차리고 사세요."

본인은 깜빡깜빡해본 적이 없는 듯 말한다.

쌍둥이 손자 선물을 사러 백화점에 함께 갔다. 유아복매장에서 옷을 한 벌씩 샀다. 쌍둥이라 옷을 살 때는 같은 것으로 두 벌을 사거나 디자인은 같은데 색상만 다른 걸로 하나씩 산다.

그날도 요즘 엄마들이 좋아한다는 유아복매장에서 옷을 사서 예쁘게 선물 포장을 하고 우린 너무 흐뭇해했다. 손자 선물은 언제나 제일 좋은 것으로 사주고 싶다. 할머니의 마음이다.

옷을 사고 주차장으로 내려왔는데 남편이 화장실에 가고 싶다고 해서 함께 다녀왔다. 아무 생각 없이 차 문을 내가 먼저 열고 앉아 있는데 남편이 운전석에 앉았다. 요즘 차는 스마트 키라 차 키를 꺼내지 않아도 되기에 남편은 키가 없다는 것을 몰랐을 거다. 나중에 생각해 보니 내 가방에도 키가 있었기 때문에 시동이 걸린 것이었다.

한참을 운전하고 집에 거의 다 왔을 때 남편이 가방이 안 보인다는 거다. 생각을 되돌려 보니 아무래도 화장실에 가방을 두고 온 것 같다고 했다. 집에 도착하여 백화점 고객센터에 전화를 걸어서 자초지종을 말씀드렸다. 직원이 주차장 화장실에 다녀온 후 가방을 찾았다고 했다. 가방은 다음 날 남편이 찾아왔지만, 그 이후에는 나한테 정신 차리라는 말은 하지 않는다. 하지만 우린 아무래도 함께 정신 차리고 살아야 할 것 같다.

"할아버지, 정신 차리고 사세요."

오늘은 내가 복수하였다.

대표 기도는 늘 어렵다

우리 교회는 주일엔 4부 예배까지 드리고 수요일엔 1부와 2부 예배를 드린다. 그리고 목요일 저녁 9시에 목요 철야와 주일을 제외한 모든 요일에 새벽 예배를 드린다. 나는 주로 주일 3부 예배와 수요 2부 예배를 드린다. 주일 3부 예배는 장로님과 교구장이 돌아가며 대표 기도를 하고 수요 예배는 권사들이 대표 기도를 한다. 대표 기도를 할 때 예전에는 가끔 딴생각도 하였지만, 요즈음엔 집중하여 들으며 기도문을 마음에 담고 아멘~ 도 큰소리로 하며 은혜를 받는다.

내가 교회에 다니기 시작한 것은 초등학교 4학년 무렵이다. 우리 동네에 여자 전도사님이 살고 있어서 친구의 권유로 교회에 나가게 되었다. 면 소재지 시골이라 교회가 우리 마을에 있는 것은 아니었고 걸어서 꽤 떨어진 이웃 마을에 있었다. 주일에는 친구들과 함께 먼 길을 걸어서 교회에 나갔고, 가끔 친구들과 모여서 전도사님께 성경 이야기를 들었다. 하지만 6학년이 되면서 내 장래를 걱정하신 부모님께서 외가가 있는 강릉으로 전학을 보내는 바람에 교회 다니는 것은 거기까지였다. 우리 집도 외가도 기독교인이 아니었고 이모가 일 년에 몇 번은 절에 가셨기 때문에 나의 종교는 다시 무교가 되었다.

다시 교회에 나가기 시작한 것은 초등학교 교사로 발령받은 해이다. 1980년 3월 1일 자로 발령을 받았지만, 7월 정도의 여름이었다. 그날은 일요일이었는데 어릴 적 교회 다녔던 기억 때문인지 교회에 갑자기 가고 싶어졌다. 평소에 학교에서 여의도 순복음교회를 아주 열심히 다니는 선생님이 매일 교회에 다니라고 전도하였지만, 별로 교회에 가고 싶은 생각이 없었는데 참 이상한 일이었다. 특별하게 힘든 일이 있었던 것도 아니고 외로운 것도 아니었는데 갑자기 교회에 가고 싶어졌는지 지금 생각해도 참 놀라운 일이었다.

다음날 학교에 가서 순복음교회 전도 신문을 들고 오신 선생님께

"선생님, 저 어제 집 앞에 있는 교회에 갔었어요."

"어머 잘했네. 여의도 순복음교회에서 이번 주부터 성경 대학 1기를 시작하는데 같이 가보지 않을래요?"

성경책과 찬송가를 챙겨주면서 권하시는 선생님의 권유를 거절할 수 없어서 1주일에 두 번씩 여의도 순복음교회에 성경 공부하러 가기로 하였다.

처음 가본 순복음 교회는 너무 커서 무척 놀랐다. 성경 공부하러 처음 간 날 양복 입은 아저씨 같은 사람이 옆자리에 앉았었는데 친절하게 성경도 찾아주고 모르는 것도 가르쳐 주었다. 이렇게 석 달 동안 성경 공부를 하러 다녔고, 그 아저씨는 내 옆자리나 내 주

위에 앉아서 가끔 음료수도 사다 주곤 하였다. 그리고 청년 선교회에 들어오면 어떻겠냐고 하였다. 청년 선교회에서 일요일에 경찰서 유치장 전도도 몇 번 나갔었다. 처음에는 무서웠지만, 죄를 짓고 들어온 분 중에 주님을 영접하는 분들이 있어서 신기하기도 하고, 정말 예수님이 살아 계신 것 같았다. 경찰서 유치장에서도 당당하게 전도하던 아저씨가 참 자랑스럽고 대단하다는 생각이 들었다.

이렇게 시작해서 우리는 친해졌고, 5년의 나이 차이와 부모님의 반대도 극복하고 88 올림픽을 기념하는 의미로 1982년 8월 8일에 약혼식을 하였고, 이듬해 4월 5일 식목일에 '인생을 심는다'는 의미로 결혼하여 제주도로 신혼여행을 다녀왔다. 지금 생각해도 하나님이 맺어 준 인연이 아니고서는 우린 만날 수 없는 사이였다고 생각한다.

우린 다른 사람들이 어떻게 만났느냐고 물어보면

"하나님이 중매했어요."

라고 자신 있게 말한다. 하나님이 맺어준 인연으로 지금은 남편과 함께 같은 곳을 바라보며 신앙생활을 잘하고 있다. 나는 가끔 남편에게

"당신이 어려운데도 멀리서 열심히 교회 다니니까 하나님께서 상으로 어여쁜 나를 남편으로 보내주신 게 분명해요."

라고 큰소리치며 으스댔다. 남편은 집이 도봉구였는데 여의도 순복음까지 예배를 한 번도 빠지지 않고 다닐 정도로 신앙심이 깊었다. 그런 남편도 한동안 세상 유혹에 빠져서 헤매다가 돌아온 탕자처럼 주님께 돌아와 지금은 나보다 믿음이 더 좋다.

코로나19로 인해 미뤄지다가 2021년 1월에 권사 직분을 받았다. 권사가 되고 달라진 점은 수요 1, 2부 예배 때 대표 기도를 한다는 거다. 권사들이 순서를 정해 1년에 두세 번 정도 대표 기도를 하는데 많이 부담스럽다고 참여 안 하는 분도 있다.

'그냥 기도문을 써서 가지고 가서 읽으면 되는데 뭐가 힘들어.'

그렇게 생각하였다. 하지만 내가 대표 기도를 한 이후에 그 이유를 알게 되었다. 쉬운 일이 아니었다. 내 순서가 되어 2주 전부터 기도하며 기도문을 작성하였다. 2분 내외로 해야 해서 녹음하여 들어 보고 시간을 재고 수정하기를 반복하며 기도문을 완성하였다. 평소에 교장인 나는 학교에서도 늘 인사말을 하고 행사 때마다 격려사 등을 하였기 때문에 잘할 수 있을 것 같았다. 그러나 그것은 교만이었다. 기도하는 중에 울컥 감정이 북받쳐서 떨리는 목소리로 기도를 마쳐야 했다. 약간 부끄럽기도 하고 좀 더 잘할 걸 하는 후회도 들었다.

예배를 마치고 집에 돌아오는 길에 남편이

"기도할 때 왜 그렇게 떨어?"

라고 말하였다.

"그러게요. 기도할 때 왜 그렇게 떨었을까요? 처음이라 그런지 나도 모르게 그렇게 되었네요."

나도 모르게 속상해서 퉁명스럽게 대답했다.

다음 기도할 때는 좀 더 당당하게 잘하리라 생각하였지만, 두 번째 기도할 때도 떨었다.

세 번째 기도할 때는 '담임 목사님의~'를 '담임선생님의~'로 말하다가 아차 하고 다시 수정해서 말하는 실수를 범하기도 하였다. 나도 모르게 평소 학교에서 쓰던 말이 튀어나와 버린 거다. 그래도 예배 끝나고 나오는데 안수집사님께서

"권사님 기도는 늘 은혜롭습니다."

라고 말씀해 주셔서 그나마 조금 위로가 되었다.

남편이 나중에 전해준 이야기이다. 친하게 지내시는 장로님께서

"유 권사는 교장 선생님이어서 학교에서 자주 연설하였을 텐데 기도할 때 왜 그렇게 떨어?"

걱정되어 말씀하셨겠지만, 조금 부끄러웠다.

'후후, 다음에는 안 떨고, 실수하지 않고 잘하겠지.'

하며 늘 다짐하고 겸손하리라 반성해 보지만, 잘하려면 아직 먼 것 같다.

이렇게 시작된 대표 기도는 지난 8월 10일 네 번째 기도로 조금 자신감이 붙었다. 기도문을 작성할 때 첫 부분에 성경을 읽다가 은혜를 받은 성경 한 두절을 넣고, 감사의 기도로 시작한다. 회개 기도에 이어서 주보를 보며 그 주일에 교회의 주요 일정을 확인하여 일정이 잘 진행되길 바란다는 내용을 기도문으로 작성하고 당회장 목사님과 수고하시는 모든 성도님을 위해 기도한다. 다행스럽게 네 번째 기도는 크게 실수하지 않고 무난하게 잘 마쳤다. 하지만 아직도 너무 딱딱하고 자연스럽지 못하다.

예배 끝나고 집에 가며 남편에게

"오늘 내 기도 어땠어?"

"오늘은 큰 소리로 잘하셨어요, 유 권사님."
하고 웃는다.

언제나 대표 기도를 잘할 수 있을까? 아무래도 평소에 기도가 부족하기 때문인 것 같다. 평소에 소리 내어 기도하는 게 아직도 어색하다. 다른 사람을 위해 늘 중보기도를 하고 있지만, 손을 마주 잡고 소리 내어 기도해 주지는 못했다. 기도하는 게 자신이 없다.

퇴직도 했으니 그동안 못했던 새벽 기도도 나가고, 목요 철야에도 빠지지 말고 나가서 주님께 기도의 은사 주시라고, 기도 잘하게 해 달라고 마음 다해 기도드려야 할 것 같다. 다섯 번째 대표 기도를 언제 하게 될지 모르지만, 그때는 조금 더 잘할 수 있기를 기대해 본다. 이제 쉬지 말고 기도하라는 주님 말씀을 마음에 새기고 매일매일 기도에 힘쓰며 기도의 힘을 길러야겠다.

친정엄마의 귀한 상장

친정엄마가 주간보호센터에서 오시며 발걸음이 가볍다. 손에 흔들흔들 쇼핑백을 들고 오신다. 마치 초등학교 1학년 아이가 받아쓰기 100점 받은 공책을 쑥 내밀듯 쇼핑백을 건넨다. 쇼핑백 안에는 상장이 들어 있었다.

상장을 꺼내 보니 '긍정왕 상'이다. 친정엄마를 듬뿍 축하해 드리고 상장을 잘 보이는 곳에 세워놓았다. 다른 상도 아니고 '긍정왕 상'이라 너무 감사하다. 센터에서 다른 사람 말도 잘 들어드리고 어르신들과 잘 지내고 계시니 더 바랄 것이 없다. 정말 귀한 상장이다.

주야간보호센터에서는 연말이 되면 어르신들께 상장을 만들어 드린다. 어르신들이 상장받으며 아이들처럼 좋아하셨을 것 같다. 참좋은 이벤트라고 생각한다. 친정엄마가 장기 요양 급여 4등급을 받으시고 주야간보호센터에 다니신 지 1년 3개월 정도 되셨다. 인지가 조금 나빠지시긴 하셨지만, 보호센터를 복지관이라고 하시며 다니시는 걸 좋아하신다.

상장받고 대표님께

"상장을 주셔서 감사합니다."

라고 인사까지 하셨다고 한다.

친정엄마는 늘 긍정적이시다. 다른 사람에게 듣기 좋은 말씀만 하시고 인사도 정말 잘하신다. 집에서도 저녁에 한약을 데워드리면 매일 드실 때마다

"고맙다. 우리 딸."

"고맙네. 약 지어주어 잘 먹겠네."

정말 친정엄마 인사성은 친절한 나도 따라가기 어렵다.

예전에 담임할 때 학년말이 되면 '상장 만들어 주기' 수업을 하였다. 친구들이 잘하는 것이나 고마웠던 일을 생각해 보고 나만의 상장을 만들어 주는 인성 수업이다. 상장 기본 틀을 만들어 나누어주면 각자 재미있게 상장을 만든다.

인사 잘하는 친구에게는 '인사 잘하는 어린이 상', 달리기 잘하는 친구에게는 '체육상' 그리고 친절한 친구에게는 '친절한 어린이 상' 등 개성 있는 상장을 만든다. 만든 상장은 교실 뒤 작품란에 걸어 전시한 후 한 사람 한 사람 불러 상장을 읽어주며 상장 수여식을 해준다. 별거 아닌 걸로 생각할 수도 있지만, 세상에 하나밖에 없는 친구 상장을 받으면 기분이 좋다. 친구들이 나를 인정해주고 칭찬해 주는 것이기 때문이다. 가끔 엉뚱한 학생들이 담임인 나한테도 상장을 만들어 준다. 나도 학생들이 만들어 준 상장을 받으면 기분이 좋다.

상장도 칭찬의 한 종류이다. 칭찬받으면 언제나 기쁘다. 하지만 칭찬할 때도 기술이 필요하다.

1. 칭찬하는 이유를 구체적으로 설명해 준다. 그냥 '참 착하구 나.'가 아니라 'OO야, 인사를 잘해서 참 착하구나.'처럼
2. 바람직한 행동을 했을 때 곧바로 칭찬한다. 지금 바쁘니 까 조금 있다가 칭찬해 주어야지 하고 뒤로 미루면 그만 큼 효과가 떨어진다.
3. 성취의 결과보다는 성취 과정의 노력에 대해 칭찬한다.

아이든 어른이든 칭찬받으면 기분이 좋다. 작은 말 한마디가 칭찬이 될 수 있으므로 주변 사람들에게 하루 한 번 이상 칭찬 해 주는 우리가 되면 어떨까? 오늘부터 가까운 가족, 동료, 이 웃에게 먼저 칭찬의 말을 건네보자. 그러면 칭찬하는 나도 행복 하고 칭찬받는 분도 기분 좋을 것이다.

'칭찬은 고래도 춤추게 한다.'

시간 강사 3개월 마지막 수업 날

지난 10월부터 3개월 동안 초등학교에 시간 강사로 출근했다. 5학년 과학 과목과 5, 6학년 도덕 교과 교사다. 여러 번 거절하다가 나가게 되었는데 지나고 보니 퇴직하고 놀지 않고 일을 할 수 있음에 감사하다. 12월 30일 마지막 수업을 하였다.

교사에서 교감으로 승진하고 다시 교장이 되며 수업을 하지 않은 지 11년이다. 물론 가끔 학교 폭력 예방 교육이나 진로 교육을 하였지만, 매일 수업하지 않았기에 걱정이 되었다. 거기다가 5, 6학년 수업이어서 잘할 수 있을지 두렵기까지 했다.

교재 연구를 철저히 하고 수업 시연도 혼자 해보며 준비하였다. 교과 수업이라 수업 시간도 딱 맞추어야 하기에 시간 배분도 아주 중요하였다. 하지만 같은 수업을 6학년은 다섯 반, 5학년은 네 반을 반복해서 하다 보니 담임보다 좋은 점도 있었다. 담임은 쉬는 시간과 점심 시간 생활지도까지 해야 하기에 쉴 틈이 없다. 하지만 담임선생님은 교과 시간에는 잠시 쉴 수 있는 여유가 있으니 그건 좋을 것 같다.

6학년은 22명 정도라 인원도 적었지만, 수업 태도도 좋은 편이라 수업할 맛이 났다. 최고 학년답다. 그리고 도덕 수업도 재미있었다. 영상도 보고 발표도 하고 토론하며 매주 월요일에 수업하였다. 횟수로 따지면 많은 시간은 아니었다.

5학년은 27, 8명으로 조금 많았다. 과학실에서 수업하다 보니 모둠으로 앉아 수업하게 되었다. 네 반인데 두 반은 수업 태도가 좋은 편이었지만, 두 반은 산만한 학생들이 많아 줄다리기를 반복할 수밖에 없었다. 물론 모둠별로 경고 자석도 붙이고, 칭찬 자석도 붙이는 등 매시간 노력하여 수업은 매일 무사히 끝냈다.

12월 들어 수업 태도가 안 좋던 학생들이 조금씩 잡혀 세 반은 그런대로 수업할만했다. 마지막 한반도 지난주부터 많이 좋아져서 칭찬해 주었다. 특히 이번 주는 갑자기 철든 것처럼 네 반 모두 수업 태도가 좋아져서 다행이었다.

과학 시간에 용어의 정리 등 중요한 내용을 과학 노트에 쓰고 실험관찰 책은 이틀에 한 번 정도 검사를 했다. 나름대로 글씨 쓰기를 조금 잡아주려는 의도였다. 정리를 잘한 학생에게는 검사하며 good이나 very good을 써주고 칭찬했더니 몇 명을 제외하곤 정리도 잘했다. 교사가 긴장의 끈을 놓지 않고 철저하게 검사해주면 학생들은 저절로 긴장하고 잘하는 것 같다.

오늘이 마지막 수업이었다. 5학년 부장님께서 1교시 전에 내려오셔서 감사하다고 하신다. 담임선생님께서 이야기해주었는지 학생들도 과학실에 들어오면서부터 서운함과 감사 인사를 하였다. 괜히 코끝이 찡해온다. 내년에도 6학년 과학 선생님 하시면 안 되냐고 한다. 짧지만 손 편지를 써서 주는 학생들도 있다. 한 학생은 사인을 해달라고 해서 노트 한 면에 사인을 해 주었다. 내가 유명한 사람은 아니지만, 인생의 선배로, 잠시 다녀간 선생님으로 꿈을 꼭 이루어 훌륭한 사람이 되라는 글과 함께 사인을 해 주었다.

오늘 마지막 수업반은 가장 말 안 듣던 반이었다. 하지만 모둠 발표는 늘 가장 잘했던 반이고, 과고 준비하는 학생도 있었다. 한마디로 열심히 공부하는 학생과 너무 철없고 공부에 관심이 없어 수업 분위기를 망치는 학생들이 섞여 있었다. 정말 극과 극이었는데 이번 주는 모두 철이 든 듯 수업 태도가 좋았다.

수업이 끝나고 한 학생이 미리 써 온 손 편지를 주며 이름을 말한다. 물론 수업에 늘 열심히 참여했던 학생이라 이름을 기억한다. 몇 명이 편지지가 없다며 포스트잇에 편지를 써서 건넨다. 인사도 가장 많이 하고 갔다. 가장 힘든 반이었지만, 정이 가장 많이 들었나 보다. 욕하면서 정든다는 말이 맞는 것 같다. 물론 욕은 안 했지만 늘 집중시키느라 힘들었다.

편지글 중에서 짧지만, 감동되는 글 덕에 지금까지의 수고가 얼음 녹듯 스르르 사라졌다. 굉장히 얌전한 남학생이었는데 짧은 편지에 고마움을 담아 주었다. 그리고 부반장은 본인의 잘못이 아니었는데도 책임감이 있는 학생이었던 것 같았다.

과학 선생님께

짧은 시간 동안 재밌는 실험과 공부해주셔서 감사합니다. 덕분에 과학에 흥미를 갖게 되었어요. 감사했습니다.

안녕하세요, 과학 선생님

저는 5학년 2반 부반장 OOO입니다. 선생님께서 비록 1년은 아니지만, 한 학기 동안 시끄러운 저희 반 잘 가르쳐주셔서 감사합니다. 애들이 수업 시간에 떠들어 수업을 방해해서 죄송합니다. 한 학기 동안 감사했습니다.

마지막 수업은 '지시약으로 협동화 그리기' 과학 수업이었다. 동기 유발로 조르주 쇠라의 「그랑드 자트 섬의 일요일 오후」 명화를 보여주었다. 이 작품은 점묘화로 2년이 걸려 완성한 그림이다. 오늘 지시약으로 협동화 그리기도 스포이트로 홈통에 지시약과 용액으로 색깔을 만들어 그리는 협동화라 좋은 동기 유발 참고작품이 되었다.

대부분 모둠이 재미있게 잘 완성했다. 다음 반 수업을 위해 정리도 잘해주었다. 마지막 수업을 마치고 학생들이 썰물처럼 빠져나가고 나니 이제 정말 끝났다고 하는 생각이 들었다.

3개월이 눈 깜짝하는 사이에 지나갔다. 시간 강사를 하며 처음에 느꼈던 걱정, 두려움은 깨끗하게 사라졌다. 이제 어느 학년도 자신 있다. 내가 언제까지 교단에 설 수 있을지 모르지만, 정말 뜻깊은 3개월이었다. 내 인생에서도 오래도록 기억에 남을 것 같다. 내년에 혹시 시간 강사로 나가게 되면 만날 수도 있겠지만, 마지막 수업의 여운 때문에 다시 만나도 반가울 것 같다.

알퐁스 도데의 '마지막 수업'과 비교할 순 없지만, 시간 강사 마지막 수업도 마음속에 잔잔한 여운으로 남아 2022년과 함께 잘 마무리하였다.

새해에도 가슴 뛰는 일을 할 수 있음에 감사하며
2022년을 감사함으로 보낼 수 있음에 더 감사하다.

2학년 담임으로 명 받았습니다

요즘 '나의 해방일지'를 1회부터 마지막 회까지 보았다. 하루에 2편 정도 본 것 같다. 드라마에서 염 미정과 구 씨의 감정 변화에 중점을 맞추고 보았다. 드라마를 보다가 작가의 서랍에 '추앙은 응원하는 거'라고 제목을 적어놓고 글을 써 볼까 하다가 못 썼다. 드라마는 끝났지만, '나의 해방 일지'는 왠지 현재 진행형 같다. 다행인 건 결말이 슬프지 않게 끝난 것이다. 많은 여운이 남는다.

학교에서 해방되리라.

이번에 시간 강사가 끝나면 학교에서 완전하게 해방되리라 생각했다. 하지만 나는 아무래도 일복이 많은 것 같다. 12월로 시간 강사가 끝나서 1, 2월은 편하게 쉬려고 했다. 수업을 마치고 퇴근해서 집에 왔는데 지금 나가는 학교 교감 선생님께서 전화하셨다. 이웃 학교 교감 선생님께서 1월에 강사를 부탁한다고 하시는데 연락처를 알려드려도 되는지 물어보셨다.

'1월에 왜 강사가 필요할까 방학 아닌가?'

궁금해서 연락처를 알려드려도 된다고 해버렸다. 그다음에 잠깐 후회하긴 했지만, 쏟아진 물이라 주워 담을 수 없었다. 바로 연락이 왔다. 여름방학에 석면 공사하느라 길게 방학을 해서 2월 중순까지 수업한다고 했다. 1정 강습 가는 선생님이 2명이나 있어서 꼭 부탁한다고 하셨다.

교대를 졸업하면 2급 정교사 자격증을 받는다. 교사로 발령을 받고 3~5년 정도 근무를 하면 방학을 이용하여 1급 정교사 연수를 받고 1급 정교사 자격증을 받는다. 호봉도 1호봉 올라서 급여도 조금 오른다. 겨울방학이 늦어 시간 강사가 필요한 것이다. 2학년과 5학년 담임이 필요하다고 해서 2학년 담임을 2주 하기로 했다. 아무래도 고학년보다는 교과 과목이 적은 2학년이 좋을 것 같았다.

2학년 담임으로 명 받았습니다.

오늘 학교를 방문하여 2주의 시간 강사를 계약하고 2학년 담임으로 명 받았다. 새해에 생각지도 못한 일을 하게 되었다. 새해 1주일 정도 쉬고 1월 11일부터 2주일은 다시 초등학교로 출근하게 되었다. 혹시 새해에도 일복 터지는 것 아닌지 모르겠다. 교감 선생님께서

"선생님이 OO초를 구하셨습니다."

라고 하시며 매우 고마워하신다. 그 마음을 알기에

"제가 오히려 감사합니다."

라고 인사했다. 나라는 못 구해도 담임 없는 학생들은 구한 것 같다.

담임선생님을 만나 인수인계를 하였다. 이메일로 주간학습계획서도 보내주시라고 했고, 좌석표(이름)도 부탁드렸다. 이름을 불러주면 좋아하고 수업 시간에 발표시킬 때도 꼭 필요하다. 2학년은 학급당 인원수는 특수학급 학생 두 명을 포함하여 19명이라 딱 좋았다. 퇴직 전 근무했던 서울 학교의 급당 인원수가 34명 정도 되었으니 환상의 학생 수다. 학생 수가 적으니 한 명 한 명을 잘 돌봐줄 수 있을 것 같다. 하지만 한 가지 걱정스러운 것은 특수학급 두 명 중에서 한 명은 특수교육 실무사님이 보조교사로 함께 수업에 참여한다는 것이다. 우선 만나봐야 알겠지만, 보조 선생님께서 계시니 위기 상황에서 도움도 받을 수 있으니까 더 좋을 것 같다. 긍정적으로 생각하기로 했다.

새로 맡게 될 아이들이 궁금하다. 2학년이라 즐겁게 학교 다닐 수 있도록 잘 돌보겠다고 했다. 가끔 책 읽어주기도 해주면 좋아할 것으로 생각한다. 교장일 때 월 1회 전교생에게 방송으로 책 읽어주기를 했기 때문에 자료도 많이 있다. 외장하드에 묵혀두었던 자료도 꺼내서 활용해야겠다.

다시 가슴이 설레는 걸 보면 아무래도 나는 일하는 것을 좋아하는 것 같다. 내가 필요한 곳이 있으면 달려가는 것이 청춘이라고 생각한다. 마음은 늘 청춘이니까.

집에만 있으면 글감도 부족하니 학교를 오가며 글감도 얻고 일거양득이라고 생각한다. 그저 감기 걸리지 않고 건강만 하면 좋겠다.

책 읽어주시는 시간 강사 선생님

인근 초등학교에 시간 강사로 나가고 있다. 첫날에 느낀 것처럼 정말 아이들이 천사처럼 예뻤다. 특수교육 대상 학생도 2명 있었지만, 수업을 방해하는 일은 없었고 오히려 너무 착하다.

특히 여학생은 말이 없지만, 그림을 너무 잘 그려 연상화를 그릴 때마다 칭찬해 주게 된다. 연상화 그리기는 예전 교사 때 학생들이 좋아했던 활동이라 시간 강사 나가기 전에 내가 만든 학습지이다. 다양한 모양의 선을 학습지에 하나씩 그려 주면 그 선을 활용해서 그림을 그리고 제목을 적고 동시나 설명을 써 보는 활동이다. 10~15분이면 충분해서 아침 자습 시간이나 자투리 시간에 할 수 있는 활동으로 학생들이 너무 좋아해서 나도 행복하다. 어쩌다 바빠서 못하는 날에는

"선생님, 연상화 그리기 안 했어요."

라고 하며 섭섭해한다. 학습지가 완성되면 칠판에 자석으로 붙이고 오늘 연상화 그리기 대장도 뽑아본다. 그러다 보니 점점 그림 솜씨가 늘고 시를 쓰는 학생도 많아졌다. 2학년인데 조금 느린

학생은 있지만, 전체 학생이 한 명도 빠지지 않고 완성해서 놀랍다. 평소에 학습 습관이 잘되어 있다고 생각한다.

특수학급 남학생은 미소가 아름답다. 나는 국어 시간에 글 길이에 따라 반 전체 학생을 한 문장이나 두 문장씩 릴레이로 책을 읽게 한다. 처음에는 목소리가 너무 작아 잘 안 들리는 학생이 많았는데 읽다 보니 크게 읽는 학생이 늘어났다. 집에서 소리 내어 읽기 연습도 해오라고 과제도 내준다. 남학생은 국어책을 차례로 읽을 때도 잘 읽는다. 물론 아주 천천히 읽지만, 기다려 준다. 아침 독서 시간에는 다른 학생은 묵독하지만, 혼자서 소리 내어 읽어도 그대로 둔다. 아침 독서 끝날 때까지 계속 잘 읽는다.

특수교육 대상 남학생은 1, 2교시는 특수학급에서 수업하고 3, 4교시는 교실에서 통합교육으로 수업한다. 교실에서 두 시간 수업할 땐 보조교사가 동행한다. 특수학생 보조교사는 공익으로 군대 가는 대신에 학교로 배치되어 복무 기간을 채우면 제대하게 된다. 6월에 제대라고 하니 6개월은 더 근무해야 한다. 매일 두 시간은 공개수업을 하는 셈이지만, 그리 불편하지 않다. 왠지 아들 같은 느낌으로 편하다.

2학년인데 수업 시간에는 너무 조용히 집중하여 수업이 계획한 대로 잘 진행된다. 물론 쉬는 시간에는 약속을 지키며 끼리끼리 즐겁게 논다. 개구쟁이가 한 명 있지만, 나름 귀엽다. 약간 안타까운 것은 ADHD약을 복용하는지 1교시에는 자주 잠을 잔다. 자다가 쉬는 시간이 되면 일어나 친구들과 같이 노는데 친구들이 그리 좋아하지 않는 것 같다. 그래도 가끔 불평하는 친구가 있지만, 잘 참아

준다. 역시 예쁜 아이들이다.

　국어 시간 전에 책을 읽어준다. 퇴직 전에 한 달에 한 번 방송으로 전교생에게 책을 읽어주었다. 그래서 책 읽어주기 PPT가 많이 있다. 묵혀두기 아까운데 시간 강사 나가며 활용하여 너무 좋다.
　책 읽어주기는 동화구연과 달라서 엄마는 엄마 목소리로, 아빠는 아빠 목소리로 편하게 읽어주면 된다. 나는 그냥 선생님 목소리로 편하게 읽어 준다.
　책 읽어주기는 태어나면서부터 6학년까지 읽어주면 좋다고 한다. 읽어주다가 가끔 아이들과 번갈아 읽기도 하며 다양한 방법으로 책 읽어주기를 하면 아이들이 독서에 관심을 가지게 되고 정서 함양에도 좋다고 한다.
　우리 반 아이들과 다음 주 3일만 함께 공부하면 헤어지지만, 하루에 한 번 읽어주면 세 권은 더 읽어 줄 수 있다. 잠깐 스쳐 가는 선생님이지만, 좋은 추억으로 기억하고 책을 좋아하는 예쁜 아이들로 자라면 좋겠다.
　다음 주에는 '백점빵'과 '낱말 공장 나라' 그리고 '열두 달 나무 아이'를 읽어주려고 한다.

　아이들이 좋아했으면 좋겠다.

세계지도에 푹 빠진 다섯 살 손자

　지난가을 우리 집에 온 쌍둥이 손자가 유튜브에서 세계 여러 나라 국기 영상을 재미있게 시청하는 걸 보았다. 유튜브에 나오는 여러 나라 국기를 보며 나라 이름도 곧잘 말했다. 우리는 너무 신기하여 국기가 나오면
　"어느 나라 국기일까요?"
　하며 물어보았다. 신기하게도 많은 나라 국기를 알아맞혔다.
　나와 남편은 손자가 좋아하는 것을 서로 사주려고 경쟁한다. 손자가 돌아간 후에 나는 국기 카드를 검색하여 주문했다. 세계 100개 나라 국기 카드로 앞면에는 국기가, 뒷면에는 국가 이름과 수도, 각 국가를 상징하는 것 등 간단한 설명이 쓰여 있는 카드다. 남편은 나도 모르게 지구본을 주문하여 도착했다. 얼른 주말이 되어 손자가 왔으면 좋겠다.
　드디어 금요일 저녁에 손자가 왔다. 먼저 국기 카드를 꺼내왔다. 큰 손자가 좋아서 어쩔 줄 몰라 한다. 국기를 한 장씩 들어 보이며 나라 이름 맞추기를 하였다.
　"이건 어느 나라 국기일까요?"

한 장씩 보여주면

"캐나다, 미국, 멕시코, 아르헨티나, 뉴질랜드, 영국, 프랑스, 케냐, 인도, 쿠웨이트~"

와! 육대주에 있는 100개 나라 국기를 거의 다 맞추었다. 국기를 보며 비슷한 국기가 많음을 알았다. 비슷해서 헷갈릴 텐데 너무 잘 맞춘다.

"지우, 천재!"

"아니에요, 연우는 천재, 지우는 박사예요."

후후, 박사가 천재보다 더 좋은가보다.

이제 할아버지가 지구본을 꺼내왔다. 이번에는 둘째 손자가 더 좋아했다. 지구본을 살살 돌리며 나라를 찾아본다. 어느새 오대양 육대주를 위치까지 거의 꿰고 있다. 큰 손자는 국기 카드를 앞뒤로 보며 다 읽은 것은 아래로 떨어뜨렸다. 한글을 읽을 수 있어서 수도까지 외우는 중이다. 지금은 나라 이름과 수도, 위치 등을 거의 다 외운다. 심지어 영국의 빅벤이나 미국의 자유 여신상, 프랑스의 에펠탑 등 유명한 명소도 안다.

이렇게 시작된 손자의 국기 사랑은 계속되었다. 엄마 아빠가 국기 깃발 꽂기 두 세트를 사주었다. 싸우지 않고 하나씩 가지고 잘 놀았다. 국기 깃발은 각 나라 땅에 국기를 꽂으며 노는 거다. 누가 먼저 완성하나 내기를 하며 잘 논다. 이걸로 끝이 아니다. 집에 널찍한 택배가 도착하였다. 할아버지가 세계지도 퍼즐 와이드맵을 주문한 것이 도착한 거다. 퍼즐 조각이 많아서 손자가 잘 맞출 수 있을까 약간 염려가 되었다.

퍼즐이 많아 맞추기 어려울 것 같아 퍼즐 판과 퍼즐 조각 뒷면에 네임펜으로 같은 숫자를 써 놓았다. 그래야 맞추기가 쉽다. 지금도 주말에 손자가 오면 세계지도 퍼즐을 가지고 와서

"할머니, 도와주세요."

라며 내 팔을 잡아당긴다. 혼자 맞추면 재미없으니까 같이 놀아 달라는 거다.

"지우야, 탄자니아는 어디 있을까?"

"할머니, 여기 아프리카에 있어요."

나보다 나라 위치를 잘 알아 척척 잘도 맞춘다. 이번 주엔 아빠랑 같이 퍼즐을 맞추어 완성하였다. 맞추는 속도가 점점 빨라진다. 퍼즐을 맞추었다가 쏟기를 매주 반복한다. 퍼즐 조각 두 개는 잃어버렸나 보다. 청소하며 잘 찾아봐야겠다.

밤 9시가 되면 자러 가는 시간이다. 잠들기 전에 '나라 이름 대기' 놀이를 하였는데 요즈음엔 누워서 아빠랑 '아시아 나라 10개 말하기', '아프리카 나라 이름 대기' 등 수준을 높여 놀이한다고 한다. 볼수록 손자가 대견하다. 아직 어리니까 기억력이 좋을 수밖에 없지만, 비슷해서 나도 구별하기 어려운 국기를 다 외운다. 학창 시절 세계 지리를 배울 때보다 많은 나라들이 새로 등장했다. 처음 보는 나라도 많아 나보다 손자들이 나라 이름을 더 많이 안다.

얼마 전에 억새와 핑크 뮬리를 보러 상암 하늘 공원에 간 적이 있었다. 하늘 공원 억새를 보러 억새만큼 사람도 많았다. 잃어버릴 까 봐 손을 꼭 잡고 걸어가는데 손을 놓더니 손자가 계속 어떤 아

저씨를 따라갔다. 자세히 보니 티셔츠 등 쪽에 영국 국기가 그려져 있었다. 손자가 영국 국기를 가리키며 따라간 거였다.

"지우, 어느 나라에 가보고 싶어요?"
"칠레요."
"칠레는 어디 있을까요?"
"남아메리카에 있는데 엄청 길쭉한 나라예요."
"칠레는 너무 멀어 가기 힘든데."
"그럼 캐나다 갈래요."
물어보면 물을 때마다 다르지만, 캐나다에 가보고 싶다고 했다. 단풍잎이 그려져 있는 캐나다가 좋은가보다.

한비야가 아버지가 벽에 붙여놓은 세계지도를 보며 걸어서 지구 한 바퀴 세계여행을 꿈꾸었듯이 손자도 국기 퍼즐로 세계 여러 나라에 관심을 가져 글로벌 일꾼이 되었으면 좋겠다.

"할아버지, 할머니는 늘 너희들 꿈을 응원한다."

12월의 요리
며느리가 빠진 늦은 김장

한비야 님 강의를 들은 적이 있다. 서울교육대학교 교육전문대학원 '초등 경영자 과정' 수업에 강사로 오셨다. 6개월 과정으로 김형석 교수님을 비롯한 유명한 분들이 강사로 초대되었다. 그중 한 분이었던 한비야 세계 시민학교 교장 선생님께서 여러 가지 말씀을 하셨지만

'내가 할까 말까 망설일 때 하는 것 3가지, 안 하는 것 3가지'가 오래도록 기억에 남았다.

(안 하는 것 3가지)
1. 살까 말까 망설일 때는 무조건 안 산다.
2. 여행 짐에 넣을까 말까 망설일 때는 무조건 뺀다.
3. 10시 이후에 먹을까 말까 망설일 때는 무조건 안 먹는다.

(하는 것 3가지)
1. 남을 도울까 말까 망설일 때는 무조건 돕는다.

2. 공부할까 말까 고민될 때는 무조건 한다.
3. 놀까 말까 망설일 때는 무조건 논다.

참 한비야 님 답다.

나도 김장할까 말까 망설이다가 하기로 했다.

작년 김장은 시누이와 친정엄마, 남편과 넷이 함께 담갔다. 남편과 김장을 한 후에 올해는 며느리 둘과 모두 모여서 김장을 하자고 했었다. 그런데 묵은지도 많이 남아 있고 시골에 사는 동생이 김장 김치 1통을 보내주어 안 할까 했다. 그런데 매년 하던 김장을 안 한다고 생각하니 조금 서운한 생각이 들었다. 친정엄마도 김장 언제 하냐고 계속 물어보셔서 매년 주문하던 해남에 12월 초에 절임 배추 40킬로를 주문했다. 작년에는 아들네도 준다고 절임 배추 네 상자, 즉 80킬로를 주문해서 김치를 담갔다. 아들들도 겨우 한두 통 정도씩만 가져다 먹어서 아직 묵은지가 많이 남아 있다. 작년의 반만 하기로 하였다.

올해는 아버지와 둘이 담글 거니까 며느리 보고 오지 말라고 했다. 큰며느리는 아직 아기가 어리고, 작은 며느리도 일을 하기에 시간 맞추려면 힘들 것 같아 그냥 우리끼리 주말에 김장하기로 했다. 내년에는 꼭 다 같이 모여서 김장하자고 올해도 또 약속하였다. 금요일에 절임 배추가 도착하였다. 동네 마트에 주문한 무와 쪽파,

대파, 생강, 마늘 등도 도착했다. 새우젓이랑 액젓, 고춧가루는 미리 준비해 두었고 유튜브에서 본 육수 낼 자료도 다 사다 놓았다.

무 다발에 붙어있던 무청을 작년에는 손질하기 귀찮아서 버렸다. 브런치 글 벗님 글을 읽으며 시래기로 다양한 겨울 요리를 할 수 있다고 해서 무청을 삶아 시래기를 만들었다. 내가 다른 일을 하는 동안 친정엄마가 시래기 껍질을 벗겨서 쟁반에 가지런히 담아 놓으셨다. 나보다 더 잘하신다. 일회용씩 소분하여 지퍼백에 담아 우선 냉동실에 넣어 두었다.

절임 배추를 소쿠리에 받혀서 물기를 빼고 무도 박박 문질러 깨끗하게 씻어 놓았다. 파김치를 여러 번 담가보아서 쪽파 한 단 다듬는 것은 이제 선수가 되었다. 육수를 끓이고 찹쌀풀도 쑤었다. 찹쌀가루도 매년 친정엄마가 가져다주었는데 올해는 떡 방앗간에 여쭈어보니 있다고 해서 사 왔다. 올해는 하나부터 열까지 모두 내가 준비했다. 내일 무채를 썰어서 양념을 만들어 배춧속만 넣으면 될 것 같다.

　내년 김장할 때 참고하기 위해 배추 40킬로 김장 레시피를 꼼꼼하게 적어두었다. 유튜브를 여러 편 보았지만, 참고만 하고 친정엄마가 담그시던 우리 집 레시피 대로 하였다. 김장은 집마다 내려오는 방식이 있어 다르게 하면 김치가 입맛에 안 맞을 것 같아서다.

　무채는 많이 만들어 두고 먹으려고 무 3단을 샀다. 무가 15개다. 채 썰고 나머지는 토막을 내어 김치 사이사이에 쪼가리로 넣으려고 한다. 김장 김치 속에 들어있는 잘 익은 무 쪼가리는 별미다. 쪽파 한 단과 절임 배추와 함께 보내준 청갓도 2~3센티 정도로 썰어두었다. 무채에 고춧가루를 버무려 색을 먼저 입히고 양념을 넣어 버무렸다.

　간이 가장 중요하기 때문에 배춧속에 싸서 친정엄마 하나, 남편 하나, 나도 하나 맛보았다. 친정엄마가 조금 싱거운 것 같다고 해서 액젓을 좀 더 넣어 간을 맞추었다.

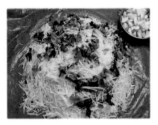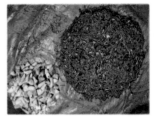

　우리 집은 싱겁게 먹는 편이라 짜지 않게 하려고 늘 신경을 쓴다. 하지만 김장 김치는 너무 싱거우면 안 되어 간을 잘 보아야 한다. 배춧속 넣는 것은 친정엄마와 내가 하고 남편은 배추 날라 오는 것과 김치통 담당이다. 친정엄마가 도와주셔서 혼자 하는 것보다 속도가 빨랐다. 무채도 나보다 훨씬 잘 썰고 배춧속도 척척 넣으신다. 손이 정말 빠르시다. 그동안 김치를 많이 담가보셔서 인지는 조금 안 좋지만, 몸이 기억하는 것 같다.

　배추 40킬로는 김치통으로 다섯 통 정도 나왔다. 양념 속도 많이 남아 아들네 줄 것도 통에 담아 두었다. 김장하는 날은 수육을 먹어야 하지만, 오늘은 삼겹살을 먹기로 했다. 대신 다음 주에 작은 아들네 불러서 수육을 해서 같이 먹으려고 한다.

걱정했던 김장도 잘 마치고 이제 조용히 올해를 마무리하면 된다. 친정엄마와 김장을 할 수 있어서 너무 감사하다. 조금 피곤하지만, 김치를 했다는 뿌듯함으로 피곤함도 이길 수 있다.

저녁에 며느리가

"어머니, 김장하시느라고 많이 힘드시지요. 내년에는 꼭 같이해요"

한 마디에 피곤도 다 날아갔다.

맛있게 숙성되길 바라며 김치냉장고에 차곡차곡 넣고 보니 세상 부러운 것이 없다. 나도 오늘 김치 부자가 되어 너무 행복하다.

이번 김장은 나 혼자서 주도적으로 다 준비하고 마무리까지 하였다. 이제 김장도 척척 할 수 있어 스스로 너무 자랑스럽다. 내년에는 며느리 둘 불러서 함께 김장해도 차근차근 알려줄 수 있을 것 같다.

오늘 나에게 칭찬 한 보따리를 안겨야겠다.

그리고 김치가 맛있게 익기를 기대해 본다.

학교 옆 은행나무 길을 기억하다

예향 유영숙

봄바람에 추위가 도망가기 시작한 1980년 3월 2일
두꺼운 외투 벗어버리고
따사한 햇살 따라 낯선 이 길 들어섰다
그 길에 꽃밭 가꾸고
그 길을 따라 인생 꿈꾸며
그러다 이별의 순간을 맞이하기도 했다

그 길의 은행나무는 쉼 없이 쑥쑥 자랄 것 같았다.
바람 불어도 눈비 내려도 끄떡없이 그 길 지키리라 여겼다
그러나 그 길은 비가 오면 움푹 파여 물이 고이고
태풍 불면 가지가 찢어져 상처가 생겼다
사계절 푸르기만 할 것 같던 그 길
겨울 되면 앙상한 가지만 남아 추위에 떨었다

다른 길은 너무 낯설고 멀리 있어 내 길 아닌 것 같기에
오랫동안 그 길만 걸었다
수없이 지나온 길이기에 익숙하고
아픈 상처 있어도 봄 되면 새 살 돋아 좋아질 거라 믿으며
학교 옆 은행나무 길 매일 걸었다

은행나무 길에서 아이들의 해맑은 웃음소리 들리면
모든 시름 바람 따라 날아가고
힘들었던 날들은 기억 속에 묻고
새로운 힘으로 다시 시작했다

세월만큼 든든해진 은행나무는
햇병아리 같던 그 시절
실수투성이던 나를 묵묵히 바라보며 지켜주었다
연둣빛 보드라운 아기 손 같던 잎사귀
여름 햇살에 진한 청록색으로 거칠어지고
속 꽉 찬 열매 주렁주렁 달려 무게 이기지 못하고 내동댕이
치기 수없이 반복할 동안
그렇게 묵묵히 그 자리에 있어 주었다

그 길에서
기쁨 나누고 행복 자랑하고 성공 이야기하며
그렇게 긴 세월 지나왔다
그러나 때론 실수에 눈물 흘리며 한숨도 털어버렸고
노랗게 익어버린 아픈 상처 떨구어내며
오랫동안 그 길 떠나지 못했다

이제 나는 42년 6개월 동안 매일 걷던 그 길 떠난다
그 길 벗어나면 아무것도 할 수 없을 것 같아 두렵다
그 길과 똑같은 길 찾을 때까지 헤매겠지
아니
그 길과 비슷한 길만 있어도 달려가 덥석 손잡을 것을

내 앞에 어떤 길 찾아질까
아주 오랜 시간 걸릴 수 있고
아마 영원히 그 길 찾을 수 없어
매일매일 방황하게 될까 무섭다

학교 옆 은행나무 길이 그립다
다시 갈 수 없기에 더 생각난다
오랜 기간 너무 익숙해 눈을 감고도 다닐 수 있었던
학교 옆 은행나무 길
오래도록 기억할 것 같다

난 다시 태어난다고 해도 그 길 다시 걷고 싶다
그 길이 숙명임을 오늘 깨달았다

퇴직했지만 놀지 않았습니다

퇴직하고 6개월이 지났다.

8월 말에 퇴직하고 두 달은 아무것도 하지 않고 푹 쉬려고 했다. 그래서 아무 계획도 세우지 않았다. 쉬는 동안 브런치 플랫폼에 글 쓰고 운동하고 요리하며 너무 행복하게 지냈다. 그러며 가끔

"주님, 퇴직 후에도 제가 가장 잘할 수 있는 일자리를 예비해주시길 기도합니다."

라고 기도를 했다.

초등학교에 시간 강사로 나가게 되었다. 아파트 건너편에 있는 아주 가까운 학교다. 걸어서 10분 정도 걸린다. 이럴 땐 집이 서울이 아닌 게 다행이라고 해야 할까. 서울은 내가 교장으로 퇴직한 것을 다 알기에 시간 강사를 한다는 건 생각조차 할 수 없는 일인데 집이 인천이라 나를 아는 교직원이 없기에 조금은 편한 마음으

로 출근할 수 있을 것 같았다.

'그래, 이것도 봉사지. 하나님께서 내가 가장 잘하는 일이 아이들 가르치는 일인 걸 아시고 일자리를 예비해주신 걸 거야.'

이런 마음이었다.

1주일 정도 수업을 하며 느낀 점은 나는 가르치는 것을 아주 좋아한다는 거였다. 교사 시절 학교 업무 하느라 수업에 집중 못 할 때도 많았는데 지금은 철저한 수업 준비와 수업 시간에도 학생들만 바라보고 수업에 집중할 수 있으니까 수업이 너무 재밌고 왠지 참 교사가 된 것 같았다. 이렇게 시작된 시간 강사는 1월 중순까지 꽉 채워서 하게 되었다.

퇴직하며 그냥 놀지 않았다. 아이들도 가르치고 글쓰기 플랫폼 브런치에 글도 쓰며 바쁘게 지냈다. 주야간보호센터에 다니시는 친정엄마도 돌보고, 주말에는 쌍둥이 손자들을 돌보며 지냈다. 하지만 힘들지 않았다. 심심할 틈이 없었다. 좋아하는 일을 했고, 친정엄마도 손자도 모두 소중한 가족이니까. 새해에는 어떤 일이 기다리고 있을지 기대된다. 그동안 해보지 못했던 새롭고 다양한 일을 하고 싶다.

늘 긍정적으로 살았다. 긍정적으로 살다 보면 좋은 일도 생기고 힘든 일도 이길 수 있다. 퇴직 후 6개월은 글을 쓰며 지루한 줄 몰랐다. 요리도 글이 되고 여행도 육아도 글이 되었다. 주일날 목사님 설교 중에 단어 하나도, 길 가다가 들려오는 말 한마디, 수업 에피소드, 주변 풍경 한 자락도 글로 태어났다.

그동안 글쓰기 플랫폼 브런치에 '만 육십이 세 퇴직 일기' 매거진에 발행했던 글을 모아 이제 책 한 권을 퇴고한다. 너무 뿌듯하다. 퇴직을 앞둔 분이나 퇴직하시고 무료한 누군가에게 조금이나마 도움이 되었으면 좋겠다.

　　내가 퇴직하고 꾸준하게 글을 쓸 수 있도록 격려해 주고 응원해 주신 분들이 감사하다. 브런치 글 벗님들의 라이킷과 따뜻한 댓글이 있었기에 가능했다. 작은 인연밖에 없는데 흔쾌히 추천사를 써 주신 최윤석 KBS 연출가님(초이스 브런치 작가님)께도 진심으로 감사드리고 싶다. 여기까지 올 수 있도록 힘이 되어 준 가족과 하늘나라에서도 잘했다 칭찬해 주실 친정아버지, 2월 말에 갑자기 우리 곁을 떠나신 사랑하는 친정어머니께 이 책을 바치고 싶다.

퇴직했지만 놀지 않았습니다

발행	2023년 03월 31일
저자	유영숙(필명 : 유미래)
펴낸이	한건희
펴낸곳	주식회사 부크크
출판사등록	2014. 07. 15(제2014-16호)
주소	서울특별시 금천구 가산디지털1로 119 A동 305호
전화	1670-8316
E-mail	info@bookk.co.kr
ISBN	979-11-410-2228-0

www.bookk.co.kr

ⓒ 퇴직했지만 놀지 않았습니다, 2023
본 책은 저작자의 지적 재산으로서 무단 전재와 복제를 금합니다.

퇴직은 Ending이 아닌 Anding임을 믿기에

앞으로 나의 도전은 계속되리라

추천사

오래 머문 교직을 떠나 새롭게 출발하는 그녀의 모습을 보면서 주변 사람에 대한 고마움을 새삼 일깨우거나 잊고 살았던 추억들에 대해 되짚어보며 종국적으로는 나의 인생 매무새도 점검해보게 된다.

'썰'을 푸는 그녀의 화법은 소중한 사람을 대하듯 조심스러운 데가 있지만, 고요한 수면처럼 말갛게 우리의 모습을 투영해낸다. 작가의 일상 속 이야기가 내 고민에 고개 끄덕끄덕해주고 있는 것 같다. 왈츠를 추듯 한 발 한 발 경쾌하게 앞으로 나아가는 그녀의 Dream을 무한 응원하며 책을 통해 바라본 나의 Vision 또한 즐겁게 상상해본다.

-「당신이 있어 참 좋다」 출간 작가

- KBS 드라마 <김과장> <추리의 여왕2> 연출 최윤석